こどもオレンジページ
ORANGE PAGE

料理ってじつは科学なんだよ。

「パンはなんでふわふわなの？」
「ジャムはなんでプルプルなの？」
よく食べている身近な食材でも、
知らないことがたくさん！
そんな食べ物の「なぜ？」を、
実際に自分で料理をしながら
解き明かしていこう！

ふくらんだり、固まったり、
色が変わったり、
料理によって姿や形を変える
食材の様子を
じっくり観察してみると、
おどろくような
科学のふしぎに出会えるはず。

30℃の部屋に
3時間置いておくと……

寒天（左）のゼリーは溶けないよ。ゼラチン（右）のゼリーはくずれてきたね。

生地が固まってきたね

フリフリ

ポリ袋に入れて、生地を振るよ！

を探ってみよう

この本では
そんな「食材の科学」を
解明するためにぴったりの、
レシピや実験方法を
たくさん紹介しているよ！

どれもおうちで簡単に
実験&料理できるだけじゃなく、
作ったあとにはおいしく
食べられるものばかり！

興味のあるテーマを見つけたら
さっそく料理をしながら
楽しく食材のヒミツを
探っていこう！

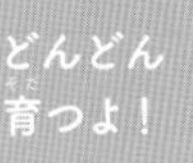

サラダにして
食べてみよう

ふっくらふくらむ！

もくじ

Part 4 季節のおやつを作ろう

約束ごと＆この本のルール

実験（料理）をするときに、注意してほしいことをまとめているよ。
始める前に、必ず大人といっしょに読んで確認してね。

約束ごと

- 実験（料理）は、大人といっしょに行おう。そばで見守ってもらい、わからないことがあればききながら作ろう。むずかしいところは、手伝ってもらってね。とくに電子レンジでの加熱や火を使うときは、やけどの心配があるから必ず大人といっしょに行おう。
- 実験（料理）をする前は、必ず手洗いをしよう。
- 実験（料理）をする前に、材料や道具はきれいに洗おう。
- 保存容器は、消毒した清潔なものを使おう。耐熱の場合は、水をはった鍋に入れて煮沸し、清潔な布の上で自然乾燥させよう。耐熱でない場合は、アルコールスプレーなどで消毒してね。
- 包丁やナイフ、はさみなどで切るときは、ケガをしないように注意しよう。

この本のルール

●電子レンジは600W

電子レンジの加熱時間は600Wのものを基準にしているよ。500Wの場合は1.2倍、700Wの場合は0.8倍を目安に加熱しよう。機種によって多少変わる場合があるよ。

●計量スプーンとカップ

大さじ1は15mℓ、小さじ1は5mℓ、1カップは200mℓだよ。

●フライパンは26cm

フライパンは、とくに表記がない場合、直径26cmのものを使ってね。

●オーブントースターは1000W

オーブントースターの加熱時間は、1000Wのものを基準にしているよ。機種によって多少変わる場合があるよ。

プリンって、
どうしてなめらかで
プルプルしている
のか知ってる？

プリンさん

パンがふっくらと
ふくらむのも、
科学の力
なんだよ！

パンさん

身近な食べ物 大研究！

毎日のごはんやおやつに登場する身近な食べ物でも、
いざ作ってみると、でき上がるまでの過程にはふしぎがいっぱい！
見た目やさわりごこち、香りなど、気になるところを調べたら、
実際に作って、そのヒミツを探っていこう！

みんなが大好きな
ソーセージにも、
いろんなふしぎが
隠されているよ。

ソーセージさん

プリンの大研究

甘くてつるんとしたプリンは、人気のスイーツのひとつ。ほろ苦いカラメルソースといっしょに食べると、カスタードのやさしい甘さが引き立つね！

プリンをよく観察してみよう

お皿の上でプルプルと揺れるプリン。
よーく観察してみよう！

香りをかいでみよう

ふんわりと甘い香りがするよ。

どんな見た目？

プルプルと柔らかそうだね。

さわってみよう

指で押したら、そのままくずれそうだね。

すくってみよう

スプーンを入れたら、
簡単にすくえるよ。

プリンを作ってみよう！

ちゃんと固まっているか、温めている途中に揺らして確認をしながら作ろう。

カスタードプリン

電子レンジでゆっくりと温めることで、なめらかでつるんとしたプリンに仕上がるよ！

材料（容量300mℓのマグカップ1個分）

- プリン液
  - 溶き卵…Mサイズ1個分
  - 牛乳…80mℓ
  - 砂糖…大さじ2と1/2
  - 水…大さじ2
  - バニラエッセンス…3滴
- メープルシロップ…適宜

用意するもの

- マグカップ（容量300mℓ以上のもの）★1
- フォーク、スプーン
- 耐熱の保存容器★2
- ラップ

★1　マグカップは、容量300mℓ以上で口径8～9×高さ8～10㎝、厚手で縦長のずんどう形のものを使おう。

★2　耐熱の保存容器は、マグカップを入れて350～450mℓの湯をはると、水面がプリン液と同じくらいの高さになるもの。目安は13×13×高さ10㎝くらい。

マグカップや保存容器の選び方によっては、中が液体のまま残ったり、「す」が立ったりする原因に。ぴったりの形とサイズのものを選ぼう！

下準備

- 溶き卵は「カラザ」という白いひも状のものを取り除く。卵白のかたまりがなるべく残らないよう、よく溶いておく。

料理／スタジオナッツ　撮影／三村健二　スタイリング／朴 玲愛

3 レンジでチンして完成！

2を電子レンジの中央に置き、3分加熱してやけどに注意をしながら容器ごと取り出す。表面の一部が半熟状になっていて、かるく揺すると全体がいっしょにふるふると揺れればOK。余熱で固まるまで少しおく。表面が生っぽく、スプーンでプリンを端から寄せながらカップを傾けると、プリン液が出てくるようであれば、加熱を追加する。容器に戻し、様子をみながら最長1分を目安に20秒ずつさらに加熱して。粗熱を取り、ラップをかけて冷蔵庫で冷やす。表面にプリン液が残っていればスプーンで取り除き、メープルシロップをかける。

作り方

1 プリン液を作る

マグカップに牛乳、砂糖、水、バニラエッセンスを入れ、ラップをせずに電子レンジで1分温める。フォークでよく混ぜながら、溶き卵を加えてさらに混ぜ、プリン液を作る。

ポイント

温めると砂糖が溶けて、早くきれいに混ざりやすくなるよ！

2 容器にカップを入れて、湯をはる

プリン液に浮いている泡や卵白のかたまりをスプーンですくって取り除く。マグカップを耐熱の保存容器の中央に入れ、プリン液と同じくらいの高さまで、ぬるま湯（約30℃）をはる。

ポイント

お湯に入れることで、ゆっくりと温めることができるから、なめらかな仕上がりになるんだよ。

プリンの「なぜ？」を探ろう

プリンを好みの堅さにするにはどうすればいいのかな？
さらに、プリンの歴史を知って、もっとプリンを好きになろう！

ひとくちメモ

プリンは、もともとは、肉や魚を保存するための料理だったんだよ。

みんなが思い浮かべる、いわゆるプリンは「カスタードプリン」といって、卵、牛乳、砂糖で作られているんだ。もとの料理はイギリスで生まれた「プディング」といって、保存食として卵に肉や野菜を入れて、蒸して固めたものなんだ。それがフランスに伝わって、お菓子の「カスタードプリン」として誕生したんだよ。

Q 堅いプリン、柔らかいプリンって何が違うの？

A 卵と砂糖の量で堅さが変わるよ。

カスタードプリンのおもな材料は、卵、牛乳、砂糖。同じ材料を使っても、入れる割合を変えるだけで、堅くなったり柔らかくなったりするんだよ。たとえば、卵。卵黄が多いと柔らかく、卵白が多いと堅くなるんだ。また、砂糖の量でも堅さが変わり、多いと柔らかく、少ないと堅くなるよ。みんなもいろいろ試して、実験してみてね！

まとめ

カスタードプリンを作るときは、卵や砂糖の量を調節して堅さを変えてみよう。

パンの大研究

パンの材料をこねこね混ぜて時間をおくと、生地がどんどんふくらんでいくよ！
ふっくらとふくらむ理由は何だろう？

パンをよく観察してみよう

まずはパンを見てさわってみよう。
どんなことに気づくかな？

香りをかいでみよう

甘くて香ばしい香りがするよ。

どんな見た目？

このパンはまあるくふっくらしているね。

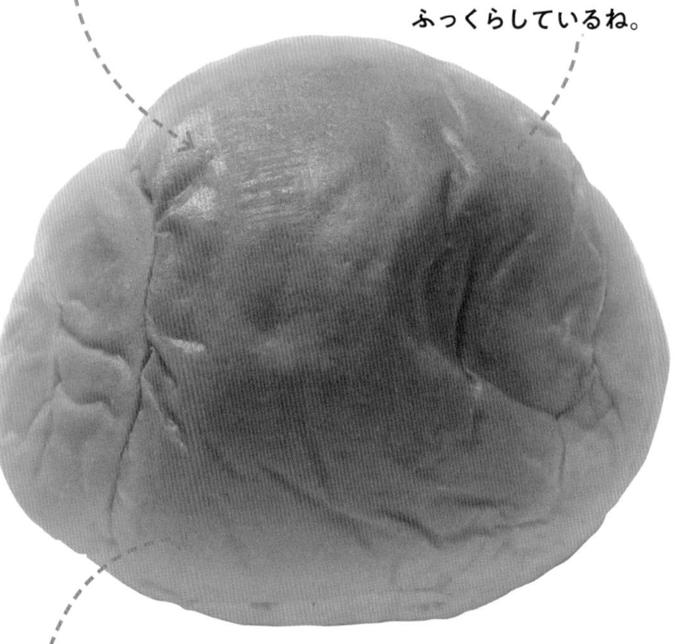

さわってみよう

柔らかくてふわっとしているよ。

どんな色？

外は茶色いけど、中は白いね。

パンを作ってみよう！

実際にパン作りにチャレンジしながら、
どんなふうにでき上がっていくか観察してみよう。

ポリパン®

ポリ袋をふりふりして作るよ。生地が変化していく様子を見逃さないようにね！

材料（6個分）

- 生地
  - 強力粉…140g
  - 薄力粉…60g
  - ドライイースト…小さじ1/4
  - プレーンヨーグルト…大さじ1
  - サラダ油（または好みの油）…大さじ1
  - さとうきび糖（なければ上白糖）…大さじ1
  - 塩…小さじ1/2
- 生地以外に使う強力粉…適宜

用意するもの

- 小さめのボール
- ポリ袋（食品用、約30×20㎝で厚手のもの）1枚
  ※薄手のものしかない場合は、2枚重ねて使う
- ゴミ袋（45ℓくらいの清潔なもの）1枚
- 2ℓのペットボトル（高さを半分に切って、切り口をテープでおおう）
- スケッパーまたは包丁
- オーブンの天板と同じサイズのトレー
- オーブン用シート
- 茶こし
- アルミホイル
- 清潔な軍手
- オーブンの天板と同じサイズの段ボール
- 網

料理／梶 晶子　撮影／福尾美雪　スタイリング／阿部まゆこ

作り方

1 生地の材料を混ぜる

小さめのボールに常温(12℃以上45℃以下)の水110gを入れ、ドライイーストを入れて、混ぜずに下に落ちるまで待つ。ヨーグルト、油を加え、さっと混ぜる。ポリ袋に、強力粉、薄力粉、さとうきび糖、塩を入れる。袋の口を大きく開けて空気を入れたら、口をねじって閉じ、2〜3回振って混ぜる。溶かしたドライイーストを加え、もう一度同じように袋に空気を入れて、口をねじって閉じる。

ポイント

ドライイーストを入れることで、パンがふくらむんだ!

2 ポリ袋を振って、生地をひとかたまりにする

1の袋の口をしっかり持って、大きく2〜3分振りつづける。生地がひとかたまりになったら、袋の内側にはりついた生地をかたまりにくっつける。空気を抜き、袋の上のほうで口をきゅっと縛る。

ポイント

振っているうちに、だんだん粉っぽさがなくなっていくよ!

3 生地がふくらむのを待つ(1回目)

ペットボトルに2の生地を袋ごと入れる。生地の表面を平らにして、生地の高さがわかるようにペットボトルに印をつける(写真下)。室温(25℃程度)に2時間〜2時間30分置き、2.5〜3倍にふくらんだらOK。

ポイント

イースト菌が糖分を分解するときに出るガスで、生地がふくらむよ。これを「発酵」というんだ。

4 小さく分ける

ポリ袋のまわりを切って広げ、その上で生地をスケッパーまたは包丁で6等分にする。

5 丸める

手に強力粉を少しつけながら、4の生地1つを縦長になるように持って、内側に半分に折る。もう一度縦長になるように持ちなおして、同じように内側に半分に折る。生地の表面がピンと張るように、生地を上から下に持ってくるようにして丸める。下側の生地をぎゅっとつまんで閉じる。残りの生地も同じように丸める。

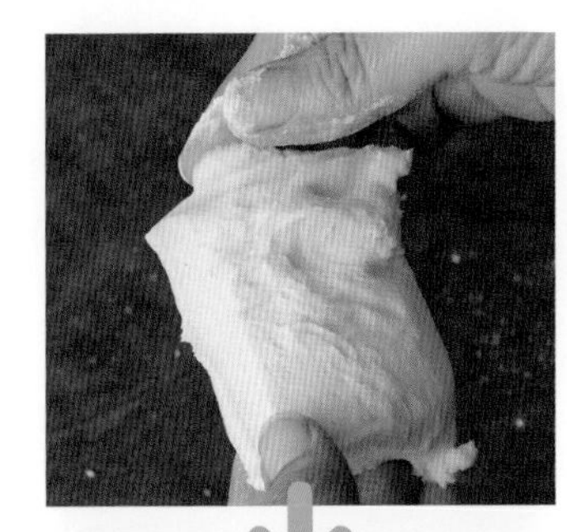

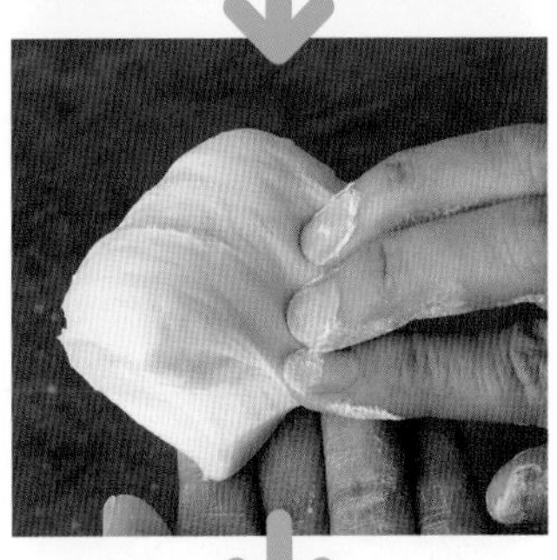

6 もう一度生地がふくらむのを待つ（2回目）

オーブンの天板と同じサイズのトレーにオーブン用シートを敷く。5の生地を閉じ目を下にして、くっつかないように離して並べる。トレーごと清潔なゴミ袋に入れ、空気を入れて袋の口を縛る。生地が約2倍にふくらむまで、室温（25℃程度）に1時間～1時間30分置く。オーブンに天板を入れて、電気オーブンなら最高温度で、ガスオーブンなら210℃で、約20分予熱する。

ポイント

焼く直前にも、もう一度生地をふくらませるよ。生地をゴミ袋でおおうのは、表面が乾かないようにするためなんだよ。

7 粉をふって、オーブンで焼く

6の生地に茶こしを通して強力粉をふる。アルミホイルに薄く油（分量外）を塗り、油の面を内側にして生地にふわりとかぶせておおう。軍手をして、段ボールをオーブン用シートの下にすべり込ませ、天板に移す（段ボールははずす）。210℃のオーブンで3～4分焼く。生地がふくらんだらホイルをはずし、10～12分焼く。網に取り出して、さます。

※生地を天板に移すときや、ホイルをはずすときはやけどに注意して。

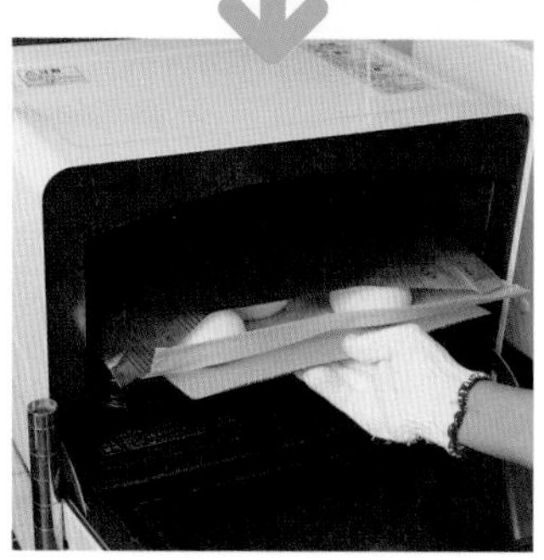

8 でき上がり！

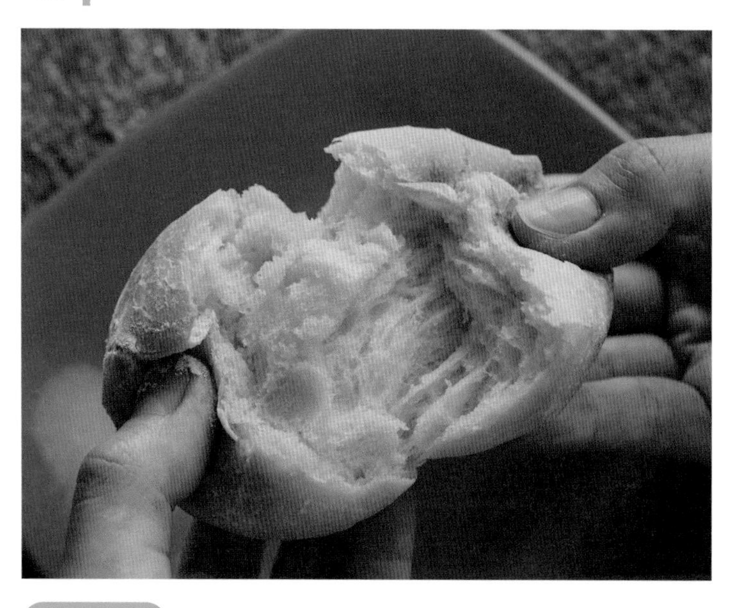

ポイント

少しさましてから、やけどに注意して、焼きたてのパンを割ってみよう！　焼く前の生地と違ってパリパリしてるね！

パンの「なぜ？」を探ろう

パンがふくらむのはなぜなのか、上手にふっくらふくらませるにはどうすればいいのかを探ってみよう！

Q どうして発酵を2回に分けるの？

A 1回目でおいしさやうまみを出して、2回目でふっくらさせて食べやすくするためだよ。

イースト菌が糖分を分解するときにガスを出すうえに、時間をかけて少しずつ香りやうまみのもとも作り出すんだ。だから、ゆっくり発酵させるとおいしくなるよ。さらにもう一度発酵させて、生地にガスを含ませて焼くことで、食感がよくなり、ふっくらとするよ。

Q パンはどうしてふくらむの？

A 小麦粉にイースト菌を混ぜるからふくらむんだよ。

パンのおもな材料は小麦粉。そこに水や砂糖、塩を入れて混ぜ、さらに「イースト菌」などの微生物を混ぜるんだ。すると、イースト菌がパン生地に含まれた糖分を食べて分解し、アルコールや炭酸ガスを発生させるよ。炭酸ガスによって、生地がふっくらとふくらむんだ。それを焼けば、パンの完成！

まとめ

パンがふくらむのは、イースト菌などの微生物が糖分を食べるときにガスを出すからなんだね！

ソーセージの大研究

パリッとかむと、中からジューシーな肉汁があふれてくるソーセージ。どうやって作られているのかな？

ソーセージをよく観察してみよう

見慣れている食材でも、初めて見るつもりでじっと観察していると、新発見が出てくるよ。

香りをかいでみよう

香ばしいにおいがするよ。

どんな見た目？

外側がパリッとして見えるね。

さわってみよう

プリプリして、弾力があるね。

割ってみよう

中からジューシーな肉汁が出てくるよ。

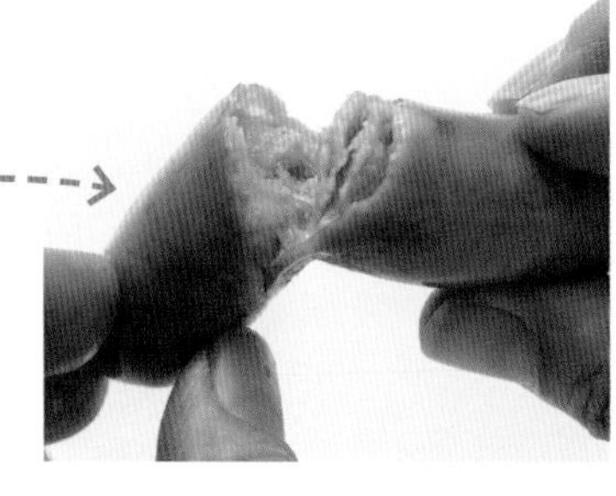

ソーセージを作ってみよう！

本格的なソーセージは動物の腸の皮に詰めて作るけど、
今回は手軽にラップに包んで作るよ。

粗びきソーセージ

ひき肉に刻んだ豚バラ肉を混ぜ込んで、
粗びき風にするよ。

用意するもの

- 包丁、まな板
- 口径20～22㎝のボール2個
- ラップ
- 定規
- 輪ゴム
- フライパン、ふた
- 厚手のアルミホイル

※なければ2枚重ねる

- 菜箸
- バット

材料（直径2×長さ12㎝のもの8本分）

- 豚ひき肉…200g
- 豚バラ薄切り肉…150g
- 玉ねぎのみじん切り…1/8個分
- にんにくのすりおろし…1/2かけ分
- 溶き卵…1/2個分
- 牛乳…大さじ3
- 片栗粉…大さじ1
- 塩…小さじ1
- こしょう…少々

作り方

1 豚バラ肉以外の材料を混ぜる

豚バラ肉は粗いみじん切りにし、冷蔵庫で冷やしておく。ボールに豚バラ肉以外の材料を入れる。ボールの底を氷水に当てながら、粘りが出て白っぽくなるまで手早く練り混ぜる（1～2分が目安）。

ポイント

冷やしながら混ぜるのは、脂が溶けないようにするためだよ。指先を立てて、一定方向にぐるぐる混ぜてね。

料理／落合貴子　撮影／キッチンミノル　スタイリング／浜田恵子

2 豚バラ肉を加えて混ぜ、冷やす

豚バラ肉を加え、全体がなじむまでさらによく練り混ぜる。氷水からはずしてラップをかけ、冷蔵庫で30分以上冷やす。

ポイント

さらに冷蔵庫で冷やすのは、脂を固めるため。ぼそぼそとした食感になるのを防ごう。

3 ラップでソーセージ形にする

約20cm四方のラップの中央に、2の肉だねの1/8量を横長に置く。手前のラップを肉だねにかぶせ、ラップの上から定規などを当てて空気を抜きながら、長さ14cmくらいの棒状に整える。そのままラップを巻きつけ、両端を輪ゴムで留める。残りも同様にする。

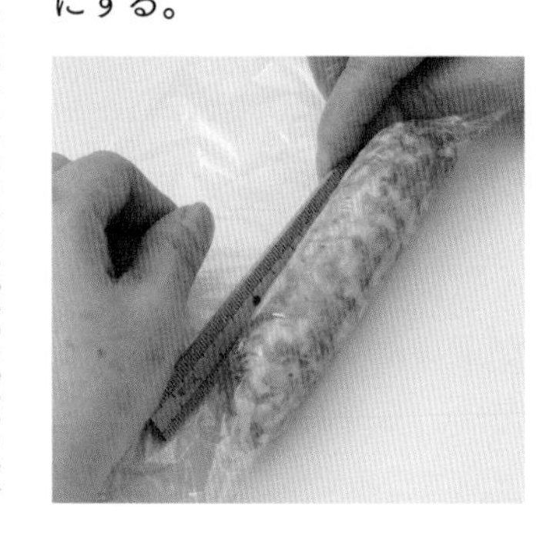

4 フライパンで蒸す

厚手のアルミホイルをフライパンの内側全体に敷き込み、余った部分を外側にしっかりと折り返す。3の肉だねをホイルの上に並べ入れる。ホイルを1カ所はずし、すきまから水1カップを注ぐ。ホイルを戻し、菜箸2本を渡してふたをのせ、弱火にかける。15分ほど蒸して肉だねを裏返し、同様にふたをのせて5〜7分蒸す。蒸し終えたらすぐにバットに移す。

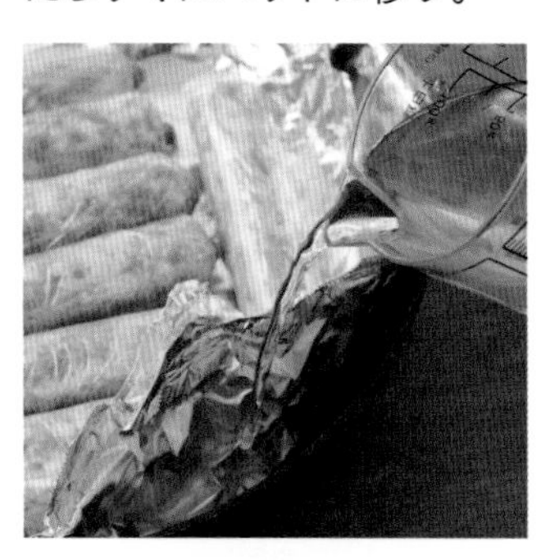

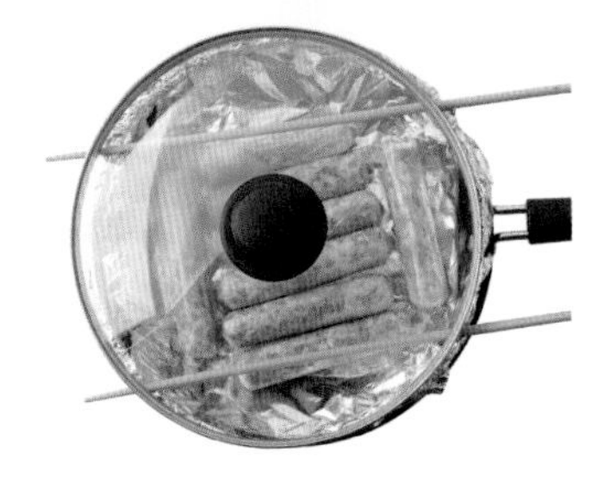

ポイント

高温で蒸すと肉だねが縮んでジューシーさがなくなっちゃうよ。菜箸でふたを浮かせて、高温になるのを防ごう。

5 こんがりと焼く

ソーセージの輪ゴムとラップを取り除き、汁けを拭く(やけどに注意)。フライパンにサラダ油少々（分量外）を中火で熱し、ソーセージを並べ入れる。ころがしながら、こんがりと焼き色がつくまで3〜4分焼く。

ソーセージの「なぜ？」を探ろう

あふれる肉汁がおいしいソーセージ。
ジューシーに仕上げるコツや、細長い形について探ろう。

Q ソーセージはどうして固まるの？

A 肉のたんぱく質が熱によって固まるんだ。

ひき肉に塩を入れて混ぜることで、肉のたんぱく質がからみ合うよ。さらに熱を加えることで、たんぱく質がギュッと固まるんだね。ただし、肉だねを作るときは、ずっと冷やしながら手早く混ぜよう。混ぜているときに肉の脂が溶け出すと、ジューシーさがなくなってぼそぼそとした食感になってしまうよ。

Q ソーセージが細長いのはどうして？

A 腸などの薄い膜に肉を詰めて作るからだよ。

ソーセージは、豚肉や牛肉をひき肉にしたものに塩や香辛料を混ぜ合わせて、動物の腸などの薄い膜状の袋に詰めて作るんだ。だから、細長い形をしているんだね。今回紹介したレシピではおうちでも簡単に作れるように、腸に詰めるのではなく、ラップで巻いて細長い形にしているよ。

まとめ

ひき肉を冷やしながらこねることで、うまみあふれるジューシーなソーセージになるんだね。

〈もったいない〉をなくそう ①

『捨てちゃうところを使って!』

食パンのみみでラスクを作ってみよう!

サンドイッチを作るとき切り落とすことが多い、食パンのみみ。オーブンでカリッと焼いて、おいしいおやつを作っちゃおう。

用意するもの

- 小さめの耐熱の器
- ラップ
- バット
- オーブン用シート

材料(作りやすい分量)

- 食パン(8枚切り)のみみ…1斤分
- バター…30g
- グラニュー糖…大さじ2

作り方

1 溶かしたバターに食パンのみみを浸す

耐熱の器にバターを入れてラップをかけ、電子レンジで40～50秒加熱する。オーブンを150℃に温めはじめる。溶かしバターの1/2量をバットに広げて、食パンのみみ1/2斤分を白い部分を下にして入れ、上下を返す。

2 グラニュー糖をからめる

1にグラニュー糖大さじ1を加え、全体にからめて、オーブン用シートを敷いたオーブンの天板に並べる。残りの1/2斤分も同様にして、同じ天板に並べる。

3 オーブンで30分ほど焼く

2を150℃のオーブンで30分ほど焼く。取り出し、広げてさます。

料理/市瀬悦子　撮影/福尾美雪　スタイリング/しのざき たかこ

牛乳からチーズやバター、ヨーグルトなどいろいろな乳製品が作られるんだモー。

牛さん

ゼラチンを液体に入れると、ぷるぷるとした食感に固まるわよ。

ゼラチンさん

Part 2

材料に卵を加えることで、固まったりふわふわになったりするよ。

卵さん

料理やお菓子作りに大活躍の小麦粉について調べてみよう。

小麦粉さん

身近な食材で大実験！

牛乳や卵、小麦粉など、
いろんな料理のもととなっている食材には、
じつはたくさんの科学が潜んでいるよ。
温めたり、冷やしたり、混ぜたり……、
料理を通じて、身近な食材の変化を観察していこう！

砂糖は温度によって、色や状態が変わるのよ。

砂糖さん

海草から作られる寒天で、ゼリーのようなお菓子ができるのよ。

寒天さん

牛乳で大実験

牛乳からヨーグルト、バター、チーズなどいろいろなものが作られるよ。どうしてそんなにたくさんのものができるのか調べてみよう！

牛乳のふしぎ

牛乳にはたんぱく質、脂肪、炭水化物などの栄養素がバランスよく含まれているよ。

牛乳にヨーグルトを少し入れるだけで全部ヨーグルトになるよ

どうして液体の牛乳が固まってヨーグルトになるのか。そのヒミツは「乳酸菌」にあるんだ。牛乳にヨーグルトを少し入れると、ヨーグルトの乳酸菌が牛乳の炭水化物に含まれる糖を食べて分解し、「乳酸」という酸を出すよ。さらに、乳酸菌が分裂して増えていくから、時間がたつと牛乳全部がヨーグルトになるんだよ。

乳酸菌
ぱくぱく
糖

乳酸菌
もぐもぐ
糖

乳酸菌
かみかみ
糖

乳酸を出すよ！

牛乳に酸を加えて温めると、固まって「カッテージチーズ」になるよ

牛乳のおもな栄養素はたんぱく質、脂肪、炭水化物。牛乳は、炭水化物の糖が溶けて中性になった水分に、たんぱく質と

レモンで酸性になった液
脂肪
たんぱく質

脂肪の膜がこわれることでバターになるよ

バターは、牛乳から作られた生クリームでできているよ。生クリームの中には脂肪が入っており、脂肪のまわりには膜がはって粒状になっているんだよ。粒は水分の中にぷかぷか浮いているから、容器に生クリームを入れて振りつづけると、膜が破れて脂肪たちがくっつき合おうとするんだ。脂肪のかたまりがどんどん大きく固まっていって、バターになるんだよ。

脂肪がくっつかずにぷかぷか浮いているんだ。牛乳に酢やレモンなどの酸を入れて温めると、水分が酸性に変化して、酸によってたんぱく質がくっつきはじめるよ。だんだん全体がくっついて、たんぱく質と脂肪もいっしょに固まるんだ。これが「カッテージチーズ」だよ。

やってみよう！

どうしてホットミルクの上に膜がはるの？

牛乳を温めると、上に膜がはることがあるよね。この膜の正体は、じつはたんぱく質なんだ。たんぱく質は熱を加えると固まる性質があるので、まわりの脂肪も包み込んで、膜を作るんだよ。

電子レンジで試してみよう！

耐熱のカップに牛乳130㎖を入れ、ラップをせずに電子レンジで1分50秒温める。膜はできていても、まだ薄いよね。

さらに、40秒加熱してみよう。膜が分厚くしっかりしているのがわかるね！

発見☆

牛乳を温める温度が高くて、時間が長いと、膜も分厚くなるんだね。膜を作りたくないときは、温めている途中でかき混ぜるとできにくくなるよ。

※長時間加熱すると、吹きこぼれやすいから注意してね。

カッテージチーズを作ってみよう

牛乳にレモンの絞り汁を加えて温めると、たちまち見た目が変化！
さわやかな風味のチーズができるよ。

材料（作りやすい分量）

- 牛乳…500mℓ
- レモン汁…20mℓ

用意するもの

- 口径約20cmの耐熱のボール
- スプーン
- ボール
- ざる
- 目の細かいふきん（またはさらし）

取材協力／原口るみ（ガリレオ工房）　料理・スタイリング／八木佳奈　撮影／sono（bean）

作り方

1 牛乳にレモン汁を加える

口径約20㎝の耐熱のボールに牛乳、レモン汁を入れて、スプーンで混ぜる。電子レンジで4分30秒～5分温める。固まっていなかったら、さらに1分温める。取り出すときは、やけどに注意。

解説！

レモンの酸によって、牛乳のたんぱく質がくっつきはじめるよ。

2 スプーンですくってみよう

スプーンの上をよく見てみよう。白いはずの牛乳が透明になって、中に白いかたまりができている。

解説！

さらに、脂肪も抱え込んで固まるよ。

3 よく絞って水けをきる

ボールにざるを重ね、ふきんを敷く。2の温めた牛乳をあけて、5分ほどおいてさましたら、よく絞って水けをきって完成。2～3日以内に食べきって。少し塩をふってそのまま食べたり、サラダやパンにのせて食べてもおいしいよ。

まとめ

温められた牛乳の中で、レモン汁がたんぱく質を集めて、かたまりにしたんだね。

やってみよう！

レモン以外の酸っぱいものを混ぜてみよう

レモン以外でも、酸っぱいものを混ぜるとチーズができるよ！

グレープフルーツ

1個分の絞り汁を果肉といっしょに牛乳500㎖に混ぜ、電子レンジで4分30秒～5分温める。

りんご酢

20㎖を牛乳500㎖に混ぜて、電子レンジで4分30秒温める。

ヨーグルトを作ってみよう

牛乳にヨーグルトを少し入れるだけで、
時間がたつと全部ヨーグルトに変わっちゃうよ！

用意するもの

- 耐熱の保存容器（容量500mℓのもの）
- 温度計
- バスタオル
- スプーン

材料（作りやすい分量）

- 牛乳…250mℓ
- プレーンヨーグルト…大さじ1

取材協力／原口るみ（ガリレオ工房）　料理・スタイリング／八木佳奈　撮影／sono(bean)

作り方

1 牛乳にヨーグルトを混ぜる

耐熱の保存容器に牛乳を入れ、電子レンジで1分20秒温める。温度計で測り、40℃前後になったらヨーグルトを加えてしっかり混ぜる。

解説！

ヨーグルトには乳酸菌という微生物が含まれているよ。

2 バスタオルで包む

温かいうちにふたをしっかりと閉めて、バスタオルで包む。直射日光の当たらない、室温15℃以上の暖かい場所に置く。

3 3時間後にチェック！

ふたを開け、スプーンですくってみよう。少しだけ固まっているかも。

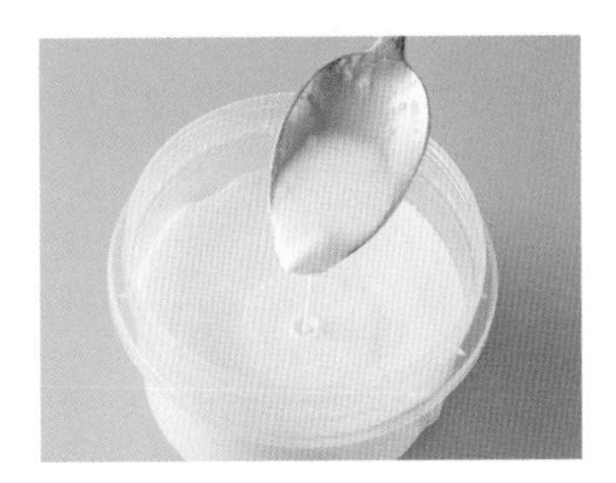

解説！

ヨーグルトの乳酸菌が、牛乳に含まれる糖分を分解して乳酸を作るよ。

4 一晩おく

再びバスタオルに包んで一晩おき、とろみがついたら完成。すぐに冷蔵庫に入れて保存し、1～2日で食べきろう。

まとめ

ヨーグルトの乳酸菌が、牛乳の炭水化物に含まれる糖を食べて、「乳酸」を出しているよ。また、乳酸菌が分裂して増えるから、牛乳全部がヨーグルトになるんだ。

やってみよう！

「ホエー」を取り出してみよう！

ボールの上にざるを重ね、ペーパータオルを敷いて、できたヨーグルト全量を入れる。3時間ほどおくと、堅いヨーグルトと、水分に分かれるよ。この水分が「ホエー」だよ。

カルシウムやビタミンなどの栄養分が溶け込んでいるよ。少し飲んでみよう。酸っぱい味がするよ。

バターを作ってみよう

牛乳からできた生クリームを振っていると、少しずつ見た目がチェンジ！
とてもおいしいバターができるよ。

用意するもの

- 口の広いびん、ふた
（容量500mℓ程度のもの）
- スプーン

材料（作りやすい分量）

- 生クリーム…200mℓ
（乳脂肪分40％以上のもの。しっかりと冷蔵庫で冷やしておく）

取材協力／原口るみ（ガリレオ工房）　料理・スタイリング／八木佳奈　撮影／sono（bean）

作り方

1 びんに生クリームを入れて振る

びんに生クリームを入れ、ふたを閉める。両手でしっかりびんを持って振る。生クリームをびんの内側にバシャバシャぶつけるように振るのがコツ。

解説！

生クリームには、膜におおわれた脂肪の粒が、まんべんなく入ってるよ。

2 振りながら変化を見よう

2〜3分ずつを目安に、途中でふたを開けて変化を見よう。少し振ったらトロトロに、さらに振ったらふわふわになるよ。

解説！

びんを振っているうちに、脂肪の粒の膜が少しずつ破れてくるよ。

3 さらに振りつづける

さらに振っていると、ぶつかり方や音も少しずつ変わっていくよ。だんだん水分が出てきて、全部で10分ほど振りつづけると、かたまりと白い水分（バターミルク）に分かれる。

4 水分を抜いてバターを取り出す

水分を抜き、バターを取り出す。200mℓ（200g）の生クリームから、約100gのバターができるよ。冷蔵庫に入れて保存し、1週間ほどで食べきって。

解説！

量が減ったのは、水分と分かれたからだね。

まとめ

振ることで脂肪の膜が破れ、脂肪の粒どうしがくっつくからバターになるよ。固まると黄色く見えるんだ。

卵で大実験

みんなの食卓にもよく登場する卵は、料理はもちろん、お菓子作りにも欠かせない素材。固まったりふくらんだり、おもしろ科学を探してみよう！

卵のふしぎ

調理のしかたしだいでいろいろな形に姿を変える卵について学んでみよう！

ふわふわ食感のヒミツは卵白と砂糖

マシュマロやスフレなど、ふわふわしたお菓子に欠かせない材料のひとつといえば卵白。でも、そのまま卵白を加えるだけだと、あのふわふわとした食感にはならないんだよ。卵白をしっかりと空気を含ませるように泡立てて「メレンゲ」という状態にすることで、もこもことふくらむんだ。さらに砂糖を加えることで甘みを出すとともに、卵白のたんぱく質をほどけにくくして泡が消えないようになるんだよ。

卵黄の力で酢と油を混ぜることができる

よく水と油は混ざらないというけど、酢と油も混ざらずに分離してしまうんだよ。でも、酢と油に卵黄を加えるとあらふしぎ、3つはしっかりと混ざるんだ。ヒミツは、卵黄に含まれている「レシチン」という成分。この成分は、水や酢にも油にもなじみやすい性質を持っていて、どちらにも溶けるんだ。酢、油、卵黄を混ぜてできるものといえばマヨネーズだけど、こんな科学の働きがあるんだね。

生卵に火を加えると固体に変化する

とろりとした生卵をゆでたり焼いたりして火を加えると、ゆで卵や目玉焼きなどのように固まるよね。じつは卵だけでなく、肉や魚など動物性の食べ物はすべて、熱によって堅くなる性質を持っているんだよ。これは、どんな動物でもたんぱく質を持っていて、たんぱく質は熱によって堅くなるからなんだ。とくに卵はたんぱく質をたくさん含んでいるから、熱を加えれば加えるほどカチカチに固まるんだよ。

やってみよう！

ゆで時間で黄身の堅さが変わるよ

小さめの鍋（直径15cm程度のもの）にお湯を沸かそう。鍋の底にふきんを敷いておくと、卵が動いてぶつかるのを防いでくれるよ。お湯が沸いたら、冷蔵庫から出したての卵3個を水でさっとぬらして、1個ずつおたまにのせてそっとお湯に沈めよう。それぞれ7分、9分、11分ゆでて取り出そう。冷たい水に5分以上つけてさましてから、殻をむいて、包丁で半分に切ってみて。

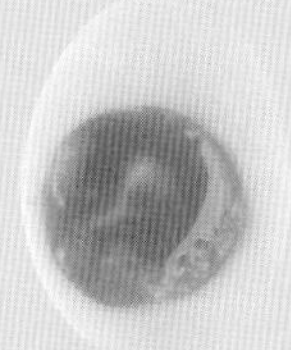

7分ゆでた黄身は……
とろっとしている部分が多い！

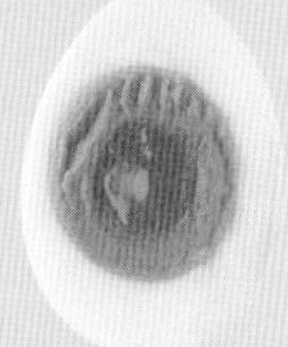

9分ゆでた黄身は……
半分くらいとろっとしている！

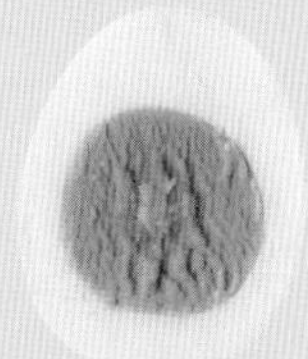

11分ゆでた黄身は……
全体が固まっている！

発見☆

長い時間ゆでるほど、黄身が固まっていくことがわかったね。ぶくぶく沸いた熱いお湯に、冷たい卵を入れることが大事。お湯と卵の温度を一定にすることで、いつでも思いどおりの黄身の堅さにゆでられるよ。

料理／髙山かづえ　撮影／鈴木泰介

マシュマロを作ってみよう

ふわふわ食感の正体は、泡立てた卵白！
空気を巻き込みながら、しっかりかき混ぜよう。

作り方

1 卵白を泡立てる

ボールに卵白を入れ、ハンドミキサーの低速でざっと混ぜて卵白のコシを切る。高速にして1分ほど泡立てたら砂糖の1/3量を加える。

解説！

卵白が泡立つのは、かき混ぜたときに空気を巻き込むからなんだよ。

- 茶こし
- 包丁、まな板

下準備

- オーブン用シートを容器の底より5cmほど大きく切り、写真のように切り込みを入れて容器に敷く。
- 小さめの耐熱の器にゼラチンと水80mℓを入れてふやかす。

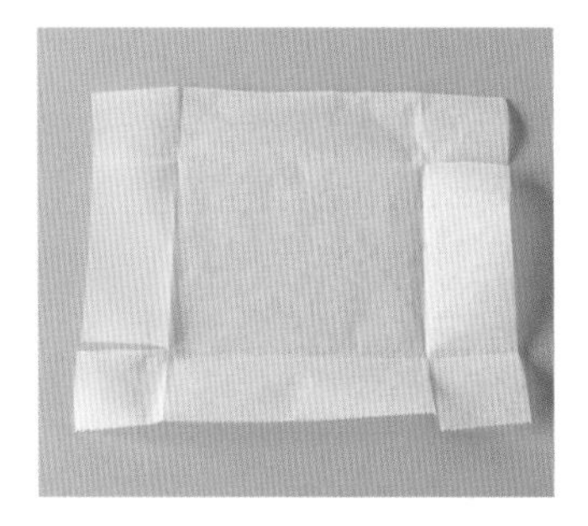

材料
（15×15×高さ3cmの容器1個分）

- 卵白…1個分（約30g）
- 砂糖…60g
- 粉ゼラチン…10g
- レモン汁…大さじ1
- コーンスターチ…適宜（20g以上）

用意するもの

- 15×15×高さ3cmの容器
- オーブン用シート
- 小さめの耐熱の器
- ボール
- ハンドミキサー（なければ泡立て器）
- ラップ
- 小さめのゴムべら

2 砂糖を少しずつ加えながら、さらに泡立てる

さらに泡立て、ミキサーの筋が残るくらいになったら、残りの砂糖の1/2量を加える。再び1分ほど泡立て、残りの砂糖を加える。さらに泡立て、卵白につやが出て角がぴんと立ったら、低速にして30秒ほど混ぜる。

解説！

泡がどんどん細かくなっていくのがわかるかな？　砂糖が卵白のたんぱく質をほどけにくくするから、泡が消えずに、角が立つくらいの堅さになるんだよ。

3 レモン汁、ゼラチンを加えて混ぜる

レモン汁を2～3回に分けて加え、そのたびにハンドミキサーの低速で混ぜる。ゼラチンの器にラップをふんわりとかけて、電子レンジで10秒加熱する。すぐに取り出し、小さめのゴムべらで底から静かに混ぜて溶かす。

溶かしたゼラチンを卵白に2～3回に分けて加え、そのたびにハンドミキサーの低速でよく混ぜる。

レモン汁の分量を小さじ1/2に替えて加え、それからコーヒー液（インスタントコーヒー小さじ1を湯小さじ1で溶いたもの）を加えると、茶色いマシュマロができるよ。

4 容器に入れて冷やし固める

オーブン用シートを敷いた容器に3を流し入れ、ゴムべらで表面を平らにして、茶こしを通してコーンスターチを全体にふる。冷蔵庫に入れて2時間以上冷やし固める（ラップはかけない）。

5 切り分ける

4をまな板の上に逆さまにして取り出す。オーブン用シートをはがし、茶こしを通してコーンスターチをふる。包丁で食べやすい大きさに切り、断面にもコーンスターチをまぶす。

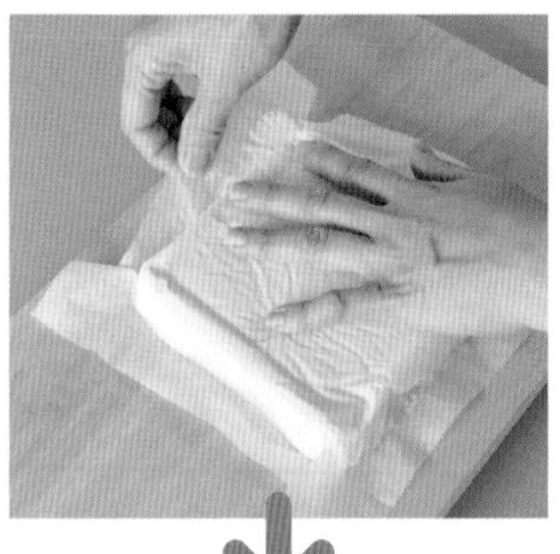

まとめ

卵白をしっかりと泡立てることで、空気を含ませているんだね。さらに、砂糖が卵白のたんぱく質をほどけにくくするから、しぼまずにふわふわのままなんだよ。

マヨネーズを作ってみよう

手作りのマヨネーズは新鮮でまろやかだよ！
しっかりと全体がなじむよう、油は少しずつ加えてね。

作り方

1 卵黄とマスタードを混ぜる

ボールに卵黄とフレンチマスタードを入れ、室温に30分ほど置いてから、泡立て器で混ぜ合わせる。

解説！

卵とマスタードは室温に置き、温度を同じにしておくと、油を加えたときに分離しにくいんだ。

材料
（でき上がり約2カップ分）

- 卵黄…Lサイズ1個分
- フレンチマスタード…15g
- サラダ油…1と1/2カップ
- 白ワインビネガー（なければ酢）…20mℓ
- 塩、白こしょう（なければこしょう）…各少々

用意するもの

- ボール
- 泡立て器
- 保存容器

アレンジレシピ

タルタルソース

材料(2人分)と作り方

玉ねぎ1/6個、グリーンオリーブ(種抜きのもの)20g、パセリ2gをそれぞれみじん切りにし、ボールに入れる。マヨネーズ(右記)大さじ5を加えて混ぜる。

まとめ

白ワインビネガー(酢)と油だけだと、どれだけ混ぜてもすぐに分かれてしまうよ。卵黄が加わることで、しっかりと混ぜることができるんだ。

2 サラダ油を少しずつ加えながら混ぜる

泡立て器で混ぜながら、サラダ油を3〜4回に分けて少しずつ加える。泡立て器ですくったときに、つんと角が立つくらいになるまでよく混ぜる。

3 白ワインビネガーを加える

白ワインビネガーを加え、よく混ぜる。塩、白こしょうで味をととのえ、保存容器に入れてふたをする。冷蔵庫に入れて保存し、10日以内に食べきって。

解説!

白ワインビネガーは酢の一種。卵黄の「レシチン」によって油と混ざるよ。

小麦粉で大実験

パンやお菓子、うどんなど、いろいろな料理に使われる小麦粉。もちもちとした食感と弾力はどうして生まれるのか、そのヒミツを探ってみよう！

小麦粉のふしぎ

小麦粉に含まれるたんぱく質2種類が合わさると、もちもち成分が作られるよ。

小麦粉に水を加えてこねると、もちもちしたグルテンができる！

小麦粉には「グルテニン」と「グリアジン」という2種類のたんぱく質が含まれているんだ。グルテニンは細長くバネのような形をしていて弾力があり、グリアジンは粒状で柔らかいという、まったく違う特徴を持っているよ。小麦粉に水を加えてこねると、この2つが結びついて「グルテン」という、弾力があってもちもちとした成分に変化するんだよ。2つのいいところが合わさるんだね。

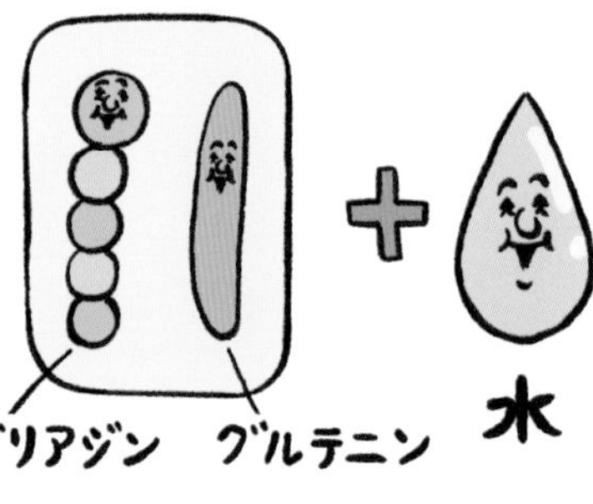

水を加えた小麦粉に、さらに塩を加えるとコシがアップ

小麦粉に水を加えてこねると弾力があってもちもちとしたグルテンになるけど、さらに塩を加えるとより強い粘りと弾力のあるグルテンを作ることができるんだ。麺の場合、このかみごたえがあってもっちりとしていることを「コシがある」というんだ。うどんは、小麦粉と水、そして塩で作られているよ。また、塩が含まれているうどんをゆでると塩が溶け出し、そのすきまにお湯が入り込むから、

コシのあるうどんを作るためには、よーくこねることが大事

グルテンに外からほどよい力を加えると、押し返して戻ろうとする力が生まれるよ。だから、こねたり踏んだりして力を加えつづけると、グルテンの結びつきがどんどん強くなって、よりしっかりとしたコシを作ることができるんだ。コシが強いうどんは足で踏んで力を加えていることが多いよ。手でこねるより、足で踏んだほうが強い力を与えることができるんだ。

早く柔らかくゆでることができるんだ。

やってみよう！

グルテンを取り出してみよう

小麦粉は薄力粉、中力粉、強力粉など、たんぱく質の量で種類が分けられているよ。薄力粉と強力粉からグルテンを取り出して、違いを調べてみよう。

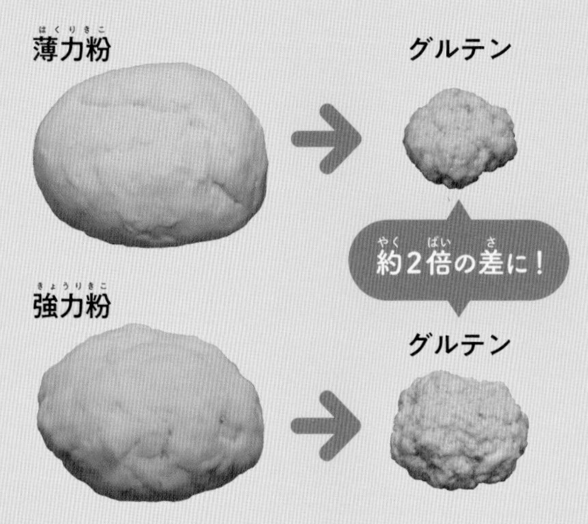

薄力粉と強力粉を100gずつ、2つのボールに分けて入れよう。計量カップに水200mℓを入れて塩小さじ2を溶かし、それぞれのボールに少しずつ入れながら、耳たぶくらいの堅さになるまでよく練って、丸めよう（塩水は余ってOK）。1時間おいて、そっと流水を当てて白い水が出なくなるまで10〜15分もみ洗いしよう。

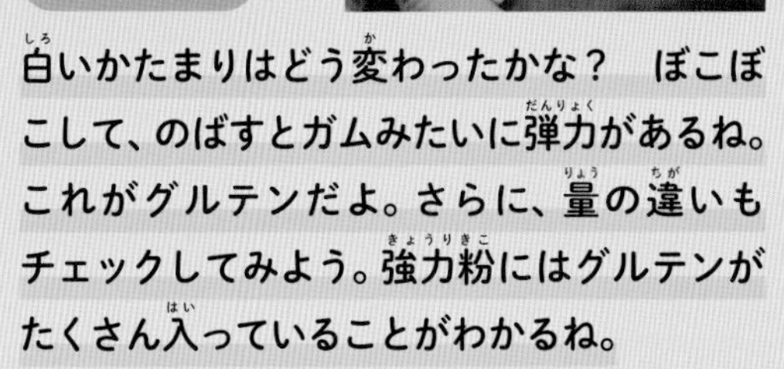

発見☆

白いかたまりはどう変わったかな？　ぼこぼこして、のばすとガムみたいに弾力があるね。これがグルテンだよ。さらに、量の違いもチェックしてみよう。強力粉にはグルテンがたくさん入っていることがわかるね。

讃岐うどん風を作ってみよう

讃岐うどんのいちばんの特徴は強いコシ。
足でしっかり踏んで、小麦粉のグルテンを引き出そう！

作り方

1 粉に塩水を加える

ボールに中力粉を入れ、塩水を少しずつ加えながら、手でぐるぐると混ぜる。

解説！

小麦粉に塩水を加えることで、粘りと弾力のあるグルテンができるよ。

2 全体をまとめる

用意するもの

- ボール
- 厚手のポリ袋（70×50㎝程度）
- めん棒
- 包丁、まな板
- 鍋

下準備

- 塩水の材料を混ぜる。

材料（2人分）

- 中力粉※…200g
- 塩水
  - 塩…小さじ1
  - 冷水…90㎖
- 打ち粉用の中力粉（または強力粉）…適宜

※なければ、薄力粉、強力粉各100gをボールに入れ、泡立て器で均一になるようによく混ぜてから使う。

料理／つむぎや〈金子健一、マツーラユタカ〉　撮影／鈴木泰介　スタイリング／阿部まゆこ

全体に水分がいきわたったら、握りこぶしでぐっと押すようにして全体をまとめていく。次の工程で粉に水分がなじんでいくので、まだ粉っぽさが残っていてOK。

3 生地をねかせる

ひとまとまりになったら、厚手のポリ袋(70×50cm程度)に入れる。口を閉じ、室温で30分～1時間ねかせる。

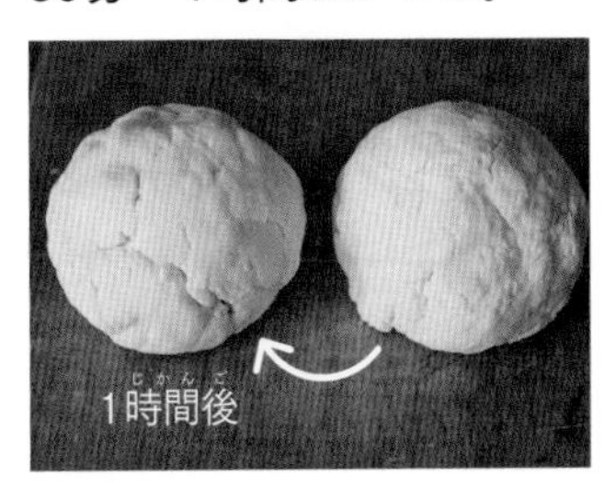

解説！

時間がたつと、粉が水を吸収して粉っぽさがなくなるよ。

4 足で踏んでのばす

ポリ袋の口を開き、生地を袋に入れたまま床に置いて踏む。初めは片足で少しずつ踏み、生地と袋をしっかり密着させておくと袋が破れない。5分ほど、生地の上で回りながらまんべんなく踏み、直径20cmくらいにのばす。

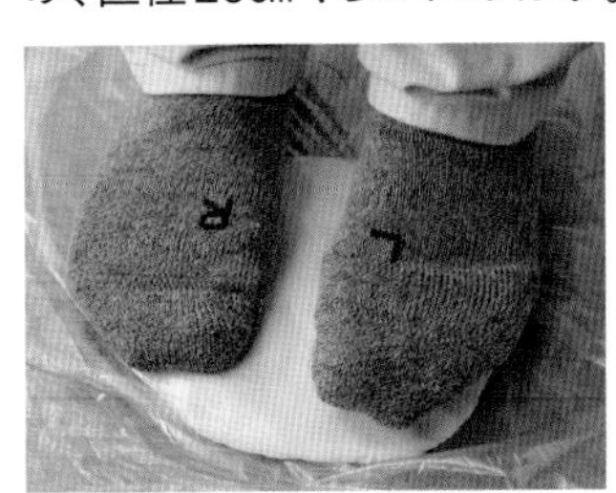

解説！

足で力強く踏むことで、コシが出るよ！

5 さらに踏んでのばし、もう一度ねかせる

袋から生地を取り出し、4つ～8つに折りたたむ。もう一度袋に入れ、4と同じように5分ほど踏む。これをあと1回繰り返す。生地につやが出てきたら丸め、袋に入れて口を閉じ、室温で1時間ほどねかせる。

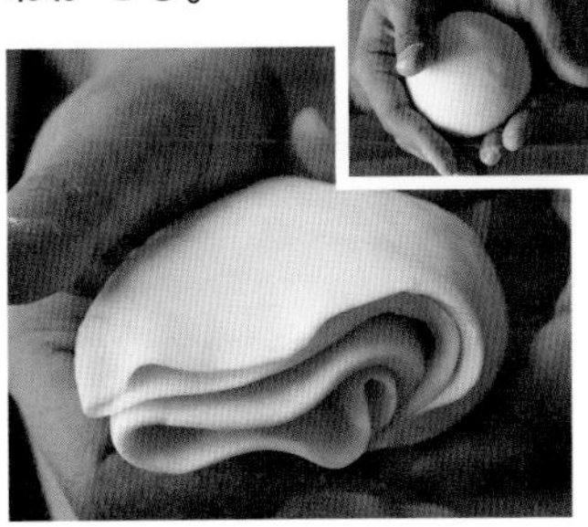

6 めん棒でのばして折る

調理台、生地、めん棒に打ち粉用の粉をふり、台に生地をのせる。生地の向きを90度ずつ変えながら、約28×22cm、厚さ3mmくらいになるまでのばす(途中、生地を手でひっぱって、長方形に整える)。生地を縦長に置き、表面に打ち粉をして、手前に半分に折る。

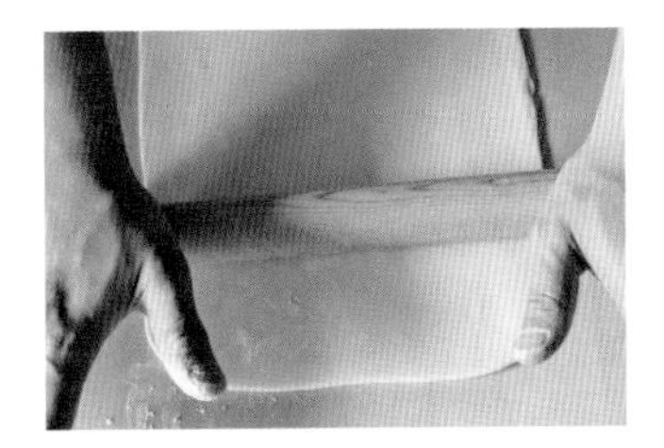

7 生地を切る

生地を端から幅3mmに包丁で切る。1切れずつ、重なりをはがすようにして一本にのばす。全体に打ち粉をする。

8 ゆでる

鍋にたっぷりの湯を沸かし、7のうどんを入れてほぐしながらゆでる。温かいまま食べる場合は12分ほど、水でしめる場合は15分ほどゆでる。

まとめ

小麦粉に水を加えてこねると、「グルテン」ができるよ。塩を加えて、しっかりこねると、強いコシが生まれるよ！

粉のなかまたち

小麦粉以外にも、米粉や片栗粉などいろんな粉があるよ。
どんな料理に使われるのか調べてみよう！

【小麦粉】

特徴 粉に含まれるたんぱく質の量によって、強力粉、中力粉、薄力粉に分けられるよ。強力粉はパン、中力粉はうどんやお好み焼き、薄力粉はお菓子などを作るときに使われることが多いよ。

こんな料理に パン、お菓子、うどん、パスタ、お好み焼き、たこ焼き、天ぷらなどに。

小麦粉の種類

	強力粉	中力粉	薄力粉
たんぱく質	多い		少ない
粒子	粗い		細かい

たんぱく質の量が多いほど、もちもちとして弾力がある生地になるんだ。

【米粉】

特徴 米から作られる粉。いつも食べているご飯の「うるち米」と、餅を作るときに使う「もち米」から作られるものがあるよ。米粉からはグルテンができないのが特徴だよ。

こんな料理に 小麦粉の代わりに使われることが多いよ。「上新粉」は米粉の一種で、うるち米から作られているよ。おだんごなどの和菓子に。

【白玉粉】

特徴 もち米を水といっしょにすりつぶして、底に沈んだものを乾燥させたもの。白玉粉で作ったお菓子は冷やしても堅くなりにくく、柔らかいままだよ。

こんな料理に つるっとした口当たりの白玉だんごや、大福などの和菓子に。

【片栗粉】

特徴 もともとはかたくりという植物の茎から作られていたんだ。今はじゃがいもから作られることが多いよ。片栗粉のおもな成分はでんぷん。水を加えて加熱するととろみが生まれるよ。

こんな料理に 「水溶き片栗粉」にしてとろみづけに使ったり、揚げもののころもにしたりするよ。

【そば粉】

特徴 そばの実をひいた粉。粉を作るときいちばん初めに出てくる粉を「一番粉」、2番目に出てくる粉を「二番粉」、3番目に出てくる粉を「三番粉」、最後に出てくる粉を「四番粉」として区別しているよ。それぞれ粉の色みや風味、食感が違うよ。

こんな料理に そばや、ガレット(クレープ)などのお菓子にも使うよ。

【もち粉】

特徴 白玉粉と同じくもち米から作られているけど、白玉粉よりもきめが細かくてさらさらしているよ。「求肥」という柔らかい和菓子の材料になるので「求肥粉」ともいわれるよ。

こんな料理に 求肥や大福などの和菓子に。

砂糖で大実験

お菓子作りに必ず使われる砂糖。加熱するとシロップのようにとろとろになったり、あめのように固まったりするよ。

砂糖のふしぎ

甘くておいしい砂糖は溶かす温度によって、色はもちろん状態も変わるんだ。その理由を探ろう！

砂糖どうしがくっついて「結晶化」するよ

砂糖が水やお湯に溶ける量は決まっていて、水よりもお湯にたくさん溶けるんだ。だから、お湯に「もうこれ以上溶けない」というぎりぎりの量の砂糖を溶かすと、温度が下がるにつれて、溶けていた砂糖が再び現れてかたまりになるよ。これを「結晶化」というんだ。結晶は「核」となる砂糖を中心に大きくなるよ。加熱中に混ぜることでも結晶化しやすくなるから、お菓子作りのときは注意しよう。

くっつくぞ〜
くっつくぞ〜
わー
核

砂糖水を加熱すると温度によって色と状態が変わる！

砂糖水は加熱する温度によって、色はもちろん状態も変化するよ。大きく6つの状態に分けることができるんだ。色は、最初は透明で、だんだん薄茶色、茶色、濃い茶色になるよ。状態はシロップのようにさらさらの状態から始まり、だんだんとろみがついてきてさめるとあめのように固くなり、プリンのカラメルソースのようになるよ。それぞれの状態に合わせていろいろな料理に使われるんだ。

ひとくちメモ

砂糖水を加熱していくとシロップ状→あめ状→カラメル状に変化していくよ。一度変化するともとに戻らないから注意してね。温度を測りながら温めていこう。

① 103〜105℃

さらさらしていて、シロップみたい！

色は透明。さらさらしていて、甘みが強い。

② 115〜121℃

少し固まってくるよ

色は透明。さめるとほんの少し固まるよ。

③ 140℃

さめるとかたまりになるよ

薄い黄色。さめると結晶になって、ガリガリとした食感。柔らかいキャンディ（タフィー）を作るときの状態だよ。

④ 165℃

べっこうあめになるよ

こがね色。さめるとカチカチのあめ状になるよ。べっこうあめとして食べられるよ。

⑤ 165〜180℃

カラメルソースになるよ

焦げ茶色になって、香ばしい風味。プリンのカラメルソースとしてよく使われるよ。

⑥ 190℃

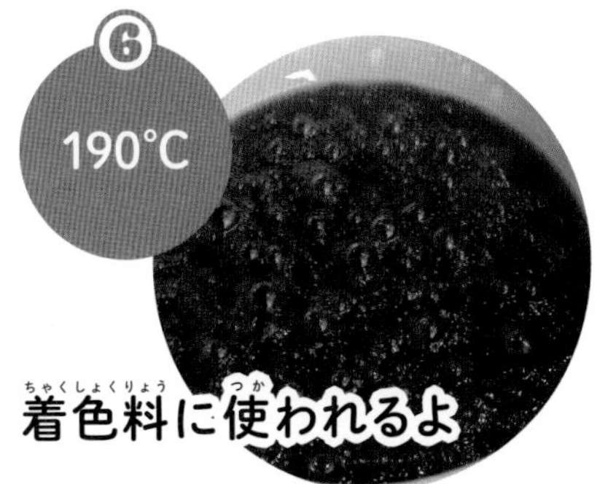

着色料に使われるよ

濃い茶色。甘みはほとんどなくなるよ。コーラやソースの色づけとして使われるよ。

注意点　●水100gに砂糖130gを溶かした砂糖水で実験しているよ。●最初は中火、色がつきはじめたら弱火にしてね。●結晶化しないように、混ぜずに加熱してね。温度を測るたびに、温度計についた砂糖水を取り除こう。ときどき湿らせたはけで、鍋肌に飛び散った砂糖をはらってね。

生キャラメルを作ってみよう

生キャラメルは、柔らかいのが特徴だよ。とろとろになりすぎず、きちんと固まるベストなタイミングをつかもう。

作り方

1 牛乳を温めて はちみつ、バターを加える

牛乳を耐熱の計量カップに入れ、ラップをかけずに電子レンジで2分ほど温める。取り出してバターを加え、バターが溶けたら、はちみつを加えてよく混ぜる。

2 砂糖に水を加えて 弱火で煮溶かす

鍋に砂糖を入れ、水大さじ1を加えて弱火にかける。砂糖が完全に溶け、まわりがうっすらと茶色くなるまで2～3分煮る。このとき混ぜると、溶けた砂糖が再びもとの状態に戻ることがあるので、混ぜないようにする。

下準備

●オーブン用シートを17×20cmに切ってバットに敷き込み、底の四辺にそって折り目をつける。オーブン用シートを取り出し、しっかりと折り目をつけてから、四隅に1カ所ずつ切り目を入れて、バットにぴっちりと敷き込む。

材料（約30個分）

- 砂糖…100g
- 牛乳…1カップ
- バター…20g
- はちみつ※…大さじ1

用意するもの

- 12×15cmのバット（なければ、アルミホイル3枚を重ねて形作る）
- オーブン用シート
- 耐熱の計量カップ
- 口径18～20cmのフッ素樹脂加工の鍋
- 木べら
- ラップ
- 包丁、まな板
- 保存容器

※ボツリヌス症予防のため、1歳未満の乳児に与えることは避けてください。

3 温めた牛乳を加える

1の温めた牛乳を注ぎ入れ（砂糖液がはねることがあるので、静かに注いで）、木べらでゆっくりと混ぜて全体をなじませる。

4 混ぜながら30分ほど煮つめる

弱めの中火にし、木べらで絶えず静かに混ぜながら、15分ほど煮つめる。脂肪分が分離しないように、ゆっくりと混ぜて。最初のうちは、小さめの泡がふつふつと立っている状態が続く。

約15分後

全体が濃い茶色になり、少しとろみがついて、大きな泡がぶくぶくと立ってくる。絶えず混ぜながら、さらに5〜10分煮つめる。

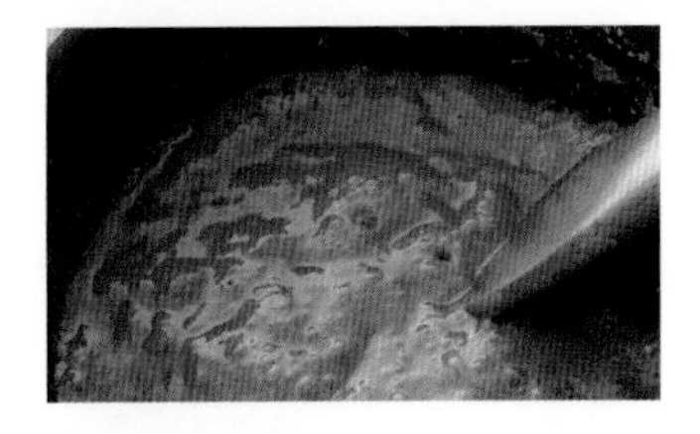

約20分後

大きかった泡が落ち着いてもったりとしてくる。さらに混ぜながら5分ほど煮つめる。徐々に全体の色が濃くなり、木べらで鍋底に線を描くと、一瞬消えないくらいになる。

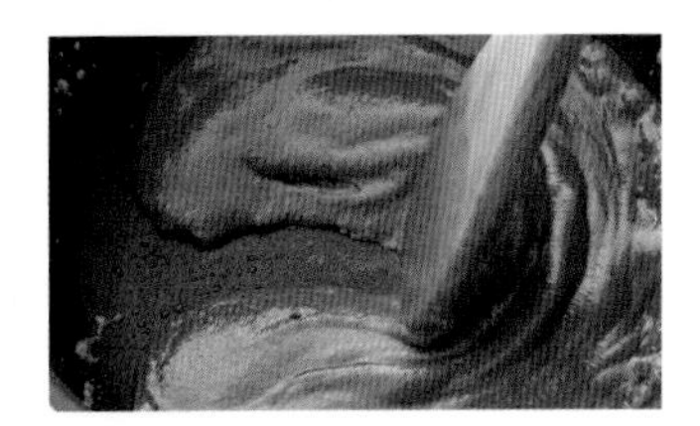

25〜30分後

木べらですくって持ち上げると、ゆっくりとリボン状に落ち、跡がしばらく消えないくらいになったら、火を止める。

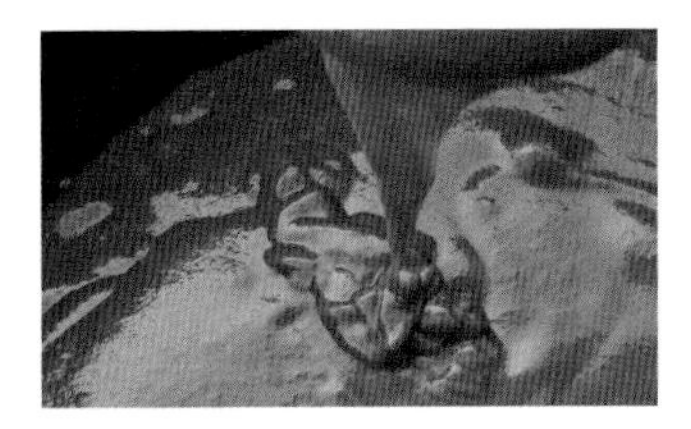

解説！

どんどんとろみがついて、茶色に変化していくよ。

5 冷やし固める

オーブン用シートを敷いたバットに流し入れ、そのまま30分ほどさます。完全にさめたら、ふんわりとラップをかけ、冷蔵庫で1時間ほど冷やし固める。

6 切り分ける

シートごとバットから取り出し、シートをはずす。キャラメルが柔らかくてはずしにくい場合は、冷凍庫でさらに15〜20分冷やす。約30等分に切り分け、1個ずつオーブン用シートで包む。保存容器に入れて冷蔵庫で1週間ほど保存可能。

まとめ

砂糖は加熱すればするほど、色が濃い茶色になり、とろみがついてくるよ。

りんごあめを作ってみよう

小さく切ったりんごに、あめをからめたら完成。砂糖水を煮つめるときに混ぜると、結晶化してザラザラになっちゃうので注意しよう。

作り方

1 りんごを切る

りんごは縦6等分に切り、軸としんを取る。包丁の先端をりんごの端にゆっくりと刺し、深さ2㎝ほどの切り込みを入れる。

2 棒を差す

棒を差し込み、ペーパータオルで水けを拭き取る。

用意するもの

- バット
- オーブン用シート
- 包丁(あればペティナイフ)、まな板
- 棒(10㎝くらいのもの)6本
- ペーパータオル
- 深さ8～9㎝の小鍋

下準備

- りんごは皮をこすってよく洗い、水けを拭く。
- バットにオーブン用シートを敷く。

材料(6個分)

- りんご…1個
- グラニュー糖※…250g

※上白糖よりもあめがパリッと仕上がるため、グラニュー糖がおすすめ。

- 好みでトッピング
  - ・レモン(国産)の皮のせん切り1個分を耐熱皿にのせ、電子レンジで50秒加熱する。
  - ・砂糖40g、シナモンパウダー小さじ1を混ぜて、シナモンシュガーを作る。

どちらもあめをからめたあとにまぶす。

3 砂糖水を煮つめる

小鍋に水80mℓ、グラニュー糖を順に入れて弱めの中火にかける。ごく薄く色づくまで、10分以上を目安に、ときどき鍋を傾けながら煮つめて、火を止める。

解説！

加熱すると、砂糖が溶けてあめに変化するよ！

4 りんごにあめをからめる

鍋を傾けて**2**にあめをさっとからめ、オーブン用シートを敷いたバットにのせて少しおく。残りも手早くからめる。

5 あめを固める

あめが固まったら、シートからりんごあめをそっとはがし、バットの縁に立てかける（あめが溶けにくくなる）。冷蔵庫に5〜10分入れ、冷やしてから食べて。

解説！

固まるとパリパリになるよ。時間がたつと、りんごから水分が出てきてあめが溶けるので、なるべく早く食べよう。

まとめ

砂糖水を加熱するとシロップ状からあめのように変化するよ。一度、色や状態が変わってしまうと、さめてももとに戻らないよ。

砂糖のなかまたち

砂糖といっても白や茶色、さらさらしたものやかたまりのものまでいろんな種類があるよ。どんな違いがあるのかな？

【上白糖】

特徴 白砂糖とも呼ばれるとおり、白い色をしているよ。日本独自の砂糖で、日本の家庭でいちばんよく使われているんだ。しっとりとしていて味にくせがないので、いろんな料理やお菓子に使われるよ。

こんな料理に パンやクッキーなどお菓子作りにはもちろん、料理にも。

【グラニュー糖】

特徴 上白糖よりも粒が大きいのが特徴だよ。白くてさらさらしていて、あっさりとした甘みだよ。素材の風味を生かしたいお菓子を作るときに使われることが多いんだ。

こんな料理に 素材を生かしたお菓子作りや、コーヒーや紅茶に甘みを加えたいときに。

【粉砂糖】

特徴 粒がパウダーのように細かいので、パウダーシュガーとも呼ばれるよ。お菓子の飾りや、水を混ぜ合わせて色をつけ、クッキーに模様を描く「アイシング」に使われるよ。

こんな料理に お菓子にふりかけて飾りつけたり、模様を描いたりするときに。

【三温糖】

特徴 上白糖と同じで、日本で生まれた砂糖。作られるときに繰り返し加熱されることで、薄い茶色をしているんだ。上白糖より甘みとこくがあって、煮ものや照り焼きなど、和食に使われることが多いよ。

こんな料理に 煮ものや照り焼き、漬けものなどに。

【黒砂糖】

特徴 さとうきびから作られていて、茶色のかたまりをしているよ。ビタミンやミネラルが豊富に含まれているんだ。香ばしくて濃厚な甘みがあるため、そのまま食べてもおいしく、和菓子作りにもぴったり。沖縄や奄美地方の特産品だよ。

こんな料理に かりんとうやようかんなどの和菓子に。

【氷砂糖】

特徴 まるで氷のような見た目で、ゆっくりと時間をかけて砂糖の結晶を大きくして作られているよ。砂糖に比べて溶ける速度が遅いから、果実を漬けてじっくりと味を引き出す果実酒やシロップ作りにおすすめ。

こんな料理に あめのようにそのまま食べたり、梅酒などの果実酒やシロップに。

ゼラチンで大実験

ぷるぷる食感のお菓子に欠かせないゼラチン。液体に入れて冷やすと、どうして柔らかく固まるのか調査してみよう。

ゼラチンのふしぎ

ゼリーやグミが、ぷるんとしているのはなぜ？
その食感のヒミツはゼラチンにあるんだ！

ゼラチンっていったいどんなものなの？

ゼリーやグミなど、ぷるぷるとしたふしぎな食感のもととなるのがゼラチン。そのおもな原料は「コラーゲン」なんだ。コラーゲンとはたんぱく質のひとつで、動物の皮や骨などに含まれているんだよ。鶏手羽や牛すじのスープが、冷えてぷるぷるしているのを見たことがあるかな？　スープにたっぷりとコラーゲンが含まれているからなんだね。

ゼラチンが固まるしくみとは？

コラーゲンを拡大して見てみると、たんぱく質が３本ずつ鎖状にしっかりからまっているような構造をしているよ。だから、水にもなかなか溶けないんだね。でも、熱を加えると鎖が切れてバラバラにほどけてしまい、水に溶けやすくなるんだ。この状態のことを「ゼラチン」というんだよ。これを水に溶かして冷やすと、バラバラになったたんぱく質がもう一度からまり合って、ぷにぷにとしたゲル状に固まるんだ！　はるか昔の古代エジプトの時代から存在していて、よくくっつくから、最初は食用でなく接着剤として使われていたんだよ。

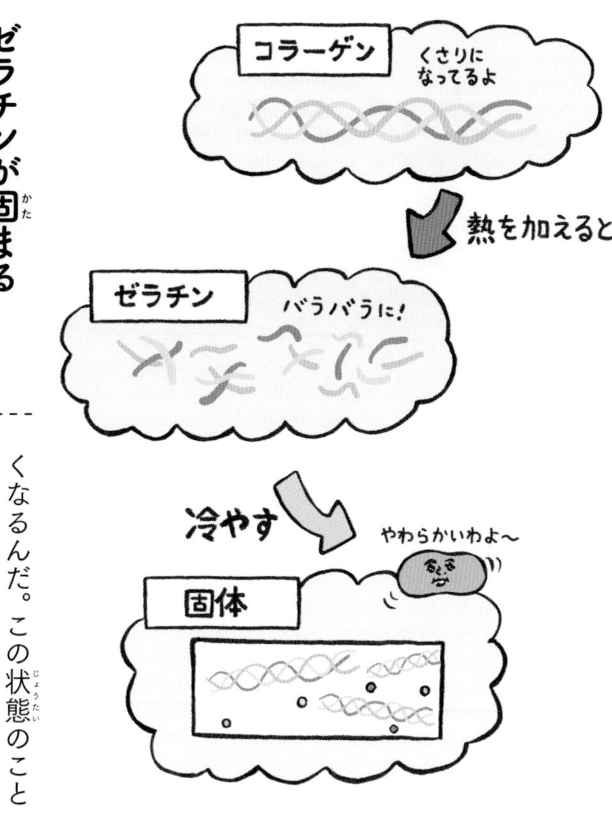

ぷるぷるの堅さが違うのはどうして？

ゼリーやグミとひと口にいっても、いろんな堅さがあるよね。その違いは、じつはゼラチンの量なんだ。材料に加えるゼラチンの量が多いと堅くなって、少ないと柔らかく仕上がるよ。

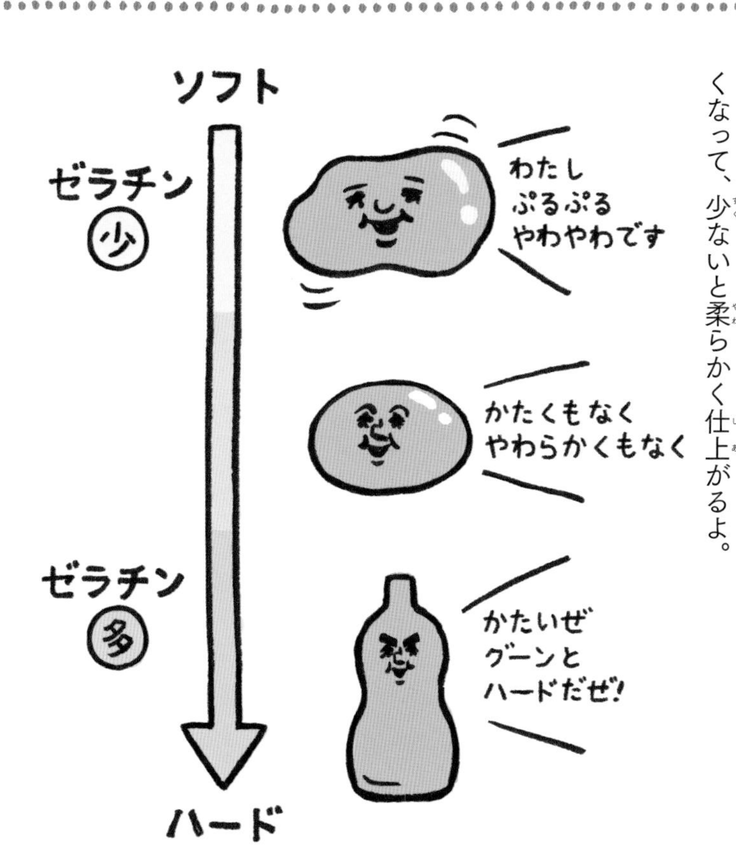

オレンジとクリームの2層ゼリーを作ってみよう

クリームの層とフルーツの層でできた、2つの食感が楽しめる2層ゼリー。どうやって2層に仕上げるの？　そのふしぎにも迫りながら作ってみよう！

作り方

1 生地を作る

小鍋にオレンジジュースとグラニュー糖を入れ、中火にかける。耐熱のゴムべらでときどき混ぜてグラニュー糖を溶かし、鍋肌がふつふつとしてきたら、火を止める。ゼラチンを5～6等分にちぎり入れ、混ぜて完全に溶かす。

2 レモン汁と生クリームを加える

レモン汁を加えて混ぜる。生クリームをそっと加え、静かに3回混ぜる。

用意するもの

- 900mℓ～1ℓの牛乳パック
- ホチキス
- 小さめの器
- 小鍋
- 耐熱のゴムべら
- 12×15cmのバット

下準備

- 小さめの器に水1/4カップを入れ、ゼラチンをふり入れてよく混ぜる。冷蔵庫に30分ほど入れてふやかしておく。

- 牛乳パックの口を完全に開き、洗って乾かしたら、側面1面を口まで切り取る。残った3面の口部分を内側に折りたたみ、ホチキスで2～3カ所留める。

材料
（900mℓ～1ℓの牛乳パックの型1個分）

- オレンジジュース（果汁100%）…2カップ
- 生クリーム（乳脂肪分45%以上）…1/2カップ
- 粉ゼラチン…10g
- グラニュー糖…40g
- レモン汁…小さじ2

料理／飯塚有紀子　撮影／よねくらりょう　スタイリング／細井美波

アレンジレシピ

ミックスベリーとクリームの2層ゼリー

下準備

● 「オレンジとクリームの2層ゼリー」と同様に。

作り方

小鍋に凍ったままのミックスベリー、グラニュー糖と、水300㎖を入れ、中火にかける。あとは「オレンジとクリームの2層ゼリー」の作り方と同様にして生地を作り、固める。

材料
(900㎖〜1ℓの牛乳パックの型1個分)

- 冷凍ミックスベリー…100g
- 生クリーム(乳脂肪分45%以上)…1/2カップ
- 粉ゼラチン…10g
- グラニュー糖…60g
- レモン汁…小さじ2

用意するもの

「オレンジとクリームの2層ゼリー」と同じ。

まとめ

ゼラチンは「コラーゲン」からできていて、熱を加えると溶けて、冷やすとぷるんと固まるよ。

解説!

ジュースの生地とクリームの生地はいっしょに1回で作るよ!

3 固める

バットにのせた牛乳パックの型に流し入れ、常温で1時間ほど置く。冷蔵庫に移し、5〜6時間冷やし固める。

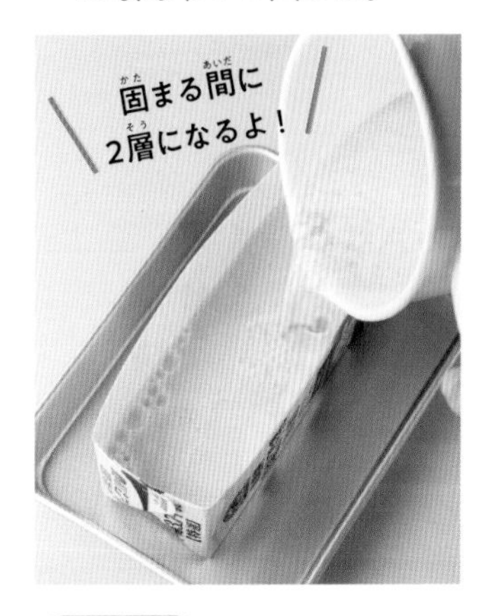

解説!

固まる間に自然と2層になるのは、生クリームのたんぱく質が、オレンジの酸によって分離するから! オレンジジュースの層はつるんとした食感、クリームの層はムースのような柔らかい食感だよ。

フルーツグミ（オレンジ味）を作ってみよう

一見むずかしそうだけど、じつは簡単に作れるよ！
乾燥させると水分が抜けて、グミ特有の弾力が出てくるんだ。

※水あめが冷えて固まり、スプーンなどで取り出しにくい場合は、指先を水でぬらし、直接びんからつまんで丸めるようにして取り出すとよい。

【微細グラニュー糖】

グラニュー糖のなかでも、とくに粒が小さく細かいタイプのもの。「細目」「極細」「極微粒」と書かれていることもあるよ。

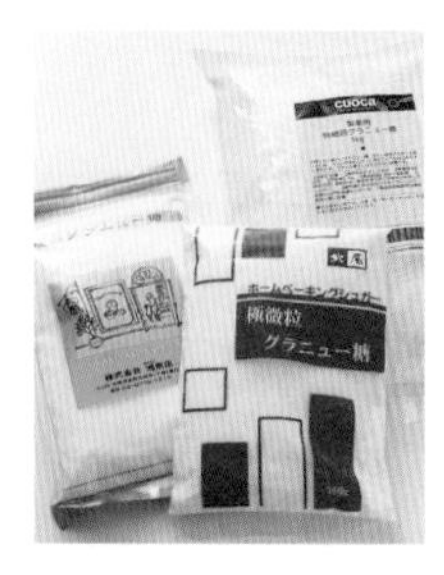

【クエン酸】

レモンなどに含まれる、酸味の成分を結晶化したもの。必ず「食用」と書いてあるものを選んでね。

用意するもの

- A4サイズのクリアファイル
- 粘着テープ
- ボール
- 口径約15cmの小鍋
- 耐熱のゴムべら
- 角形耐熱保存容器
- バット
- ラップ
- 包丁
- まな板
- ケーキクーラー
- ポリ袋
- カッターナイフ
- スプーン
- 定規
- 油性ペン

材料
（1.5×2×厚さ1cmのもの48個分）

- オレンジジュース（果汁100%）…250mℓ
- 粉ゼラチン…30ｇ
- 微細グラニュー糖（なければグラニュー糖）…35g
- クエン酸…小さじ1（約5g）
- 水あめ…5g※
- レモン（大・国産）の皮のすりおろし…1個分
- 仕上げ用の粉
  - 微細グラニュー糖（なければグラニュー糖）…10g
  - クエン酸…小さじ1/8（約1g）

注意！

●電子レンジ加熱するときは、電子レンジ対応の、高さ6cm以上の角形耐熱保存容器（右の写真）を使ってください。浅いと加熱時に吹きこぼれることがあります。また、耐熱ガラス製のボールは、経年変化や気温など、条件によっては割れることがあるので避けてください。
●大きく作ると、のどに詰まらせる危険があります。仕上がりのサイズを守ってください。

料理／下迫綾美　撮影／澤木央子

3 電子レンジで加熱

2を角形耐熱保存容器に移し入れ、グラニュー糖、クエン酸、水あめ、レモンの皮、1のゼラチンを順に加えてさっと混ぜ、ふたをせずに電子レンジで20秒加熱する。

解説！

ゼラチン特有のにおいも、レモンのおかげでさわやか〜。

4 よく混ぜる

ゼラチンを溶かしながら、円を描くように静かに混ぜる。ゼラチンが溶けきらない場合は、様子をみながら同様に10秒ずつ加熱して混ぜる。

作り方

1 ゼラチンを入れる

ボールにジュース40mℓを入れ、ゼラチンをふり入れる。スプーンでよく混ぜる。表面を平らにならし、ラップをかけてふやかす。

解説！

今回はゼラチンが多めだから、ぷるぷるグミになるよ！

2 煮つめる

口径15㎝の小鍋に残りのジュースを入れ、中火にかける。沸騰したら弱火にし、耐熱のゴムべらでときどき混ぜながら、30〜35分煮つめる。鍋底に線が描けるくらいまでとろみがつけばOK。

解説！

100％果汁を煮つめるから、フルーツの味がしっかり出るんだ！

下準備

型を作る

A4サイズのクリアファイルで型を作ろう。よく洗って乾かしておいてね。

1 切り分ける

クリアファイルを背が右側にくるように置く。写真のとおりに油性ペンで図面を引き、A、B、Cをカッターナイフで切り分ける。

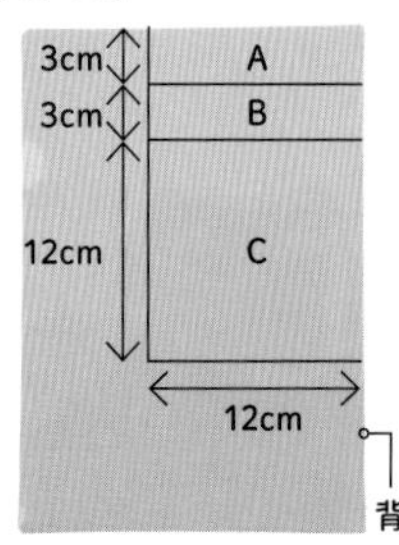

2 組み立てる

A、Bは開いて型の側面に、Cは背の折り目の部分を切って1枚を底にする。

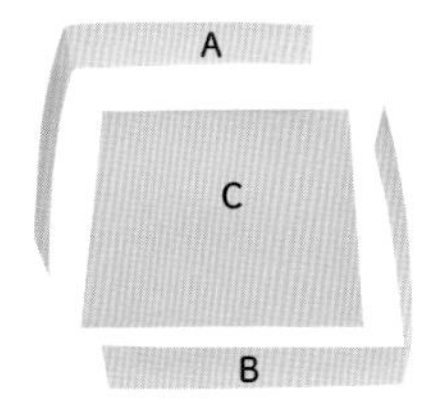

3 貼り合わせる

各パーツを、外側から粘着テープで、写真のようにすきまなく貼り合わせる。

5 型に流す

全体がなめらかになったら、型をバットの上に置き、4を流し入れて粗熱を取る。バットごとふんわりとラップをかけ、冷蔵庫で30分ほど冷やし固める。

解説！

加熱して、冷やすことでぷるぷるになるよ！

6 型から取り出してカット

型からはずして、まな板に取り出す。定規を当て、向こうと手前の縁に包丁の刃先で2cm間隔で切り込みを入れる。まな板を90度回転させ、同様に1.5cm間隔で切り込みを入れる。

切り込みにそって包丁の刃の全体を当て、押すように切ろう！

弾力があるから、しっかり力を入れて

7 乾燥させる

ケーキクーラーなどに並べ、室温（気温25℃前後）で6〜12時間、乾燥させる。

解説！

乾燥させる時間が長いほど、水分が抜けて弾力が出るよ。3時間くらいで食べられるけど、理想は6時間以上。

8 粉をまぶす

ポリ袋に仕上げ用の粉の材料を混ぜ、グミの1/6量を入れて全体を振るようにして粉をまぶす。残りも同様にする。

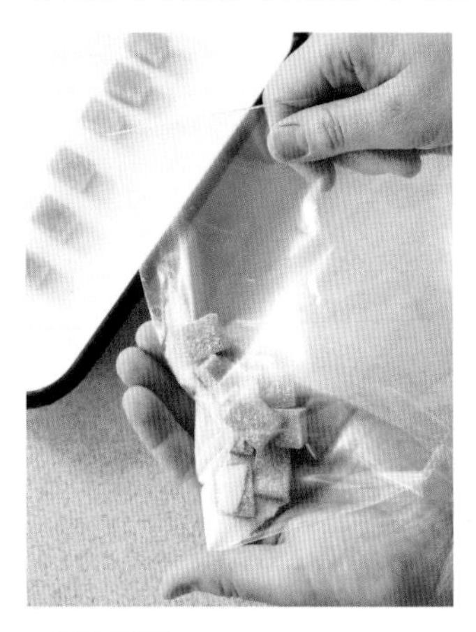

解説！

粉は溶けやすいので、食べる直前にまぶしても！　まぶさないなら、平らに並べてラップでぴっちりと包んで密閉できる保存容器に入れよう。冷蔵庫で1週間ほど保存できるよ。

ジュースを替えるだけで、いろいろな味が楽しめるよ

〈パイン味〉

果汁100%のパイナップルジュースで

〈グレープ味〉

果汁100% のグレープジュースで

やってみよう！

さらにチャレンジ
ラムネグミ

作り方

1 耐熱のボールに、ジュース、レモン汁、グラニュー糖を入れてさっと混ぜる。ゼラチンをふり入れて混ぜ、よくふやかす。

2 ラップをせずに電子レンジで1分ほど加熱する。サラダ油と水あめを加え、水あめが溶けるまでよく混ぜる。同様に、電子レンジで30秒ほど加熱し、よく混ぜながら粗熱を取る。

3 ペットボトルや調味料などのキャップに**2**を少しずつ流し入れ、5分ほどおく。それぞれにラムネを1～3個入れたらさらに**2**を流し入れて、15分ほどおく。

4 固まったら竹串などでキャップの内側をくるりとなぞり、底からすくい上げるように取り出す。

材料（作りやすい分量）

- **オレンジジュース（果汁100%）…1/4カップ**
- **レモン汁、グラニュー糖、水あめ…各大さじ1**
- **粉ゼラチン…15g**
- **サラダ油…小さじ1/4**
- **ラムネ菓子…適宜**

まとめ

ゼラチンを多めに入れると堅くなって、冷やし固めたあと、さらに乾燥させると水分が抜けて弾力が生まれるんだ。

料理・スタイリング／浜田恵子　撮影／宗田育子

寒天で大実験

「寒天」ってどんなものか、知っているかな？
海草から作られていて、
液体を固める力があるんだよ。

寒天のふしぎ

寒天は液体を固めることができるから、
ゼリー状のお菓子を作ることができるんだよ。

寒天は、てんぐさやおごのりという海草から作られているよ

寒天は、てんぐさやおごのりという「紅藻類」、つまり紅い海草から取り出したものを凍らせて乾燥させたものなんだ。形状によって棒のような「棒寒天」、粉状の「粉寒天」、糸のような「糸寒天」などがあるよ。棒寒天と糸寒天は水でよく洗ってたっぷりの水につけてふやかしてから使おう。粉寒天はそのまま使えるよ。海草でできているから、ほぼカロリーゼロ。液体を固める働きがあるよ。

カロリーほぼゼロ

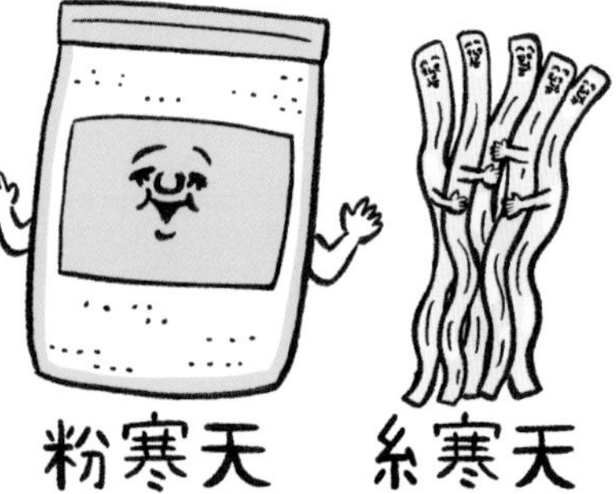

棒寒天　粉寒天　糸寒天

寒天には液体を固める力がある

寒天には、「アガロース」という成分が含まれているよ。この成分は網目状で熱湯に入れるとねじれが取れてばらばらにほどけ、冷やすと最初のねじれた状態に戻ろうと引きつけ合う働きがあるんだ。そのときに、らせん状の網目の中に水分を取り込むから、液体が固まるんだね。もちもちとせず、くずれるようにもろい食感が特徴だよ。

粉寒天

パイナップルやマンゴーは、寒天と相性がいい果物

ゼリーを作るときによく使われる「ゼラチン」は動物性のコラーゲンを原料とするたんぱく質でできているんだ。だから、たんぱく質を分解する「酵素」を持つパイナップルやキウィ、マンゴーなどのゼリーを作ろうとしても溶けたり固まりにくかったりするんだ。寒天は海草で作られているから、そういったたんぱく質を分解する酵素を持った果物でも、溶けることなくしっかりとゼリーが固まるんだね。

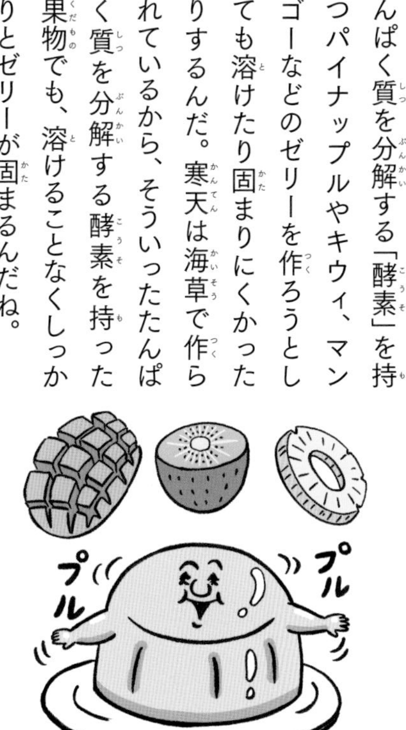

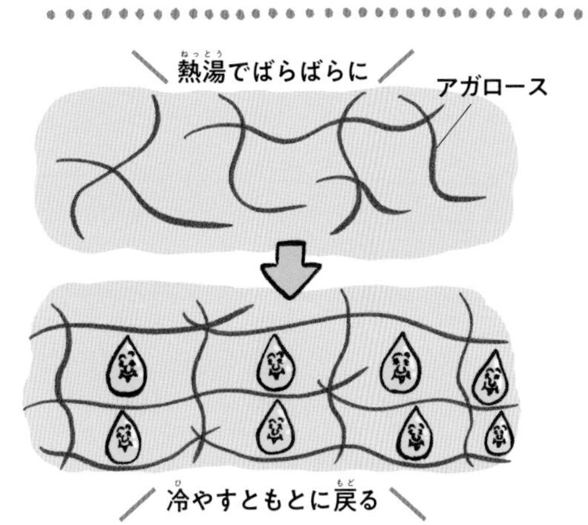

やってみよう！

ゼラチンと寒天のゼリーを比べてみよう

ゼラチンで作ったゼリーと寒天で作ったゼリーを、暖かい場所に置いておくよ。まったく同じように見えるけど、どんな変化が起こるかな？

30℃の部屋にゼリーを置いておく

3時間後……

発見☆

ゼラチンのゼリーは形がくずれてきているけど、寒天のゼリーは変わらないね。じつはゼラチンのゼリーは25℃以上くらいで溶けてくるので、暖かい場所に置いておくと形がくずれるんだ。寒天は90～100℃にならないと溶けないから、しっかりしたままなんだね。

濃厚マンゴー寒天を作ってみよう

寒天のほろっとした食感と、
マンゴーのねっとりリッチな味わいが魅力。

用意するもの

- 包丁、まな板
- ボール
- 裏ごし器
  (なければ万能こし器)
- ゴムべら
- 小鍋
- 型(容量90mℓのもの)4個
- ラップ
- テーブルナイフ

材料(容量90mℓの型4個分)

- 粉寒天…1g
- 牛乳(低脂肪)…1/2カップ
- アップルマンゴー(完熟したもの)
  …1個(約350g)
- グラニュー糖…25g
- コーヒーフレッシュ…3個(15mℓ)
- トッピング
  - 練乳…小さじ2
  - あればミントの葉…適宜

料理/下迫綾美　撮影/三村健二　スタイリング/久保田朋子

作り方

1 マンゴーの身をとる

マンゴーは皮をむく。包丁で種から身をそぐようにしてとり（身が250gになる）、ざく切りにする。

2 マンゴーをつぶしてなめらかにする

ボールで受けた裏ごし器に1のマンゴーを入れ、ゴムべらで押し出してつぶし、なめらかにする。コーヒーフレッシュを加えてかるく混ぜる。

3 牛乳に粉寒天を溶かす

小鍋に牛乳と粉寒天を入れて中火にかけ、絶えずゴムべらで混ぜる。ふつふつとしてきたら弱火にし、さらに1分30秒ほど混ぜながら加熱する。火を止めてグラニュー糖を加え、混ぜて溶かす。

解説！

熱を加えることで、寒天の成分「アガロース」の網目がばらばらにほどけるよ。

4 マンゴーを加え、冷やし固める

3の鍋をコンロからおろし、2のマンゴーを3回に分けて加え、そのつどよく混ぜる。さっとぬらした型に等分に流し入れる。粗熱が取れたらラップをかけて、冷蔵庫で2時間ほど冷やし固める。

解説！

冷やすことで、ほどけた「アガロース」がもとの網目に戻ろうとして固まるんだ。

5 仕上げる

型と寒天の間に静かにテーブルナイフを差し込んで空気を入れ、器に取り出す。練乳をかけ、あればミントを飾る。

まとめ

海草から作られている寒天には「アガロース」という成分が含まれていて、加熱して冷やすとゼリーのように固まるんだよ。

〈もったいない〉をなくそう ②

『捨てちゃうところを使って!』

〈ベジブロス〉をとってみよう!

〈ベジブロス〉は、野菜の皮や根っこからとる、こがね色のだし。ふだん使わない端っこだけど、じつは栄養たっぷり。野菜の味もしっかり出るよ。

用意するもの

- 鍋
- 万能こし器
- ボール

材料(でき上がり約1ℓ分)

- いろいろな野菜の端っこ(玉ねぎの皮、根菜の皮、きのこの石づき、かぼちゃのわたなど)
  …両手いっぱい分
- 酒…小さじ1

おすすめは玉ねぎの皮。スープがこがね色になるよ! セロリやパセリなど、香りが強い野菜はほんの少し。紫玉ねぎやなすなど紫色の野菜は、スープがにごっちゃうから避けたほうがいいよ。

作り方

1 鍋に野菜を入れる

鍋に水1300mℓを入れ、野菜の端っこを入れる。野菜の種類によって重さが違うので、両手いっぱい分を目安にして。

2 酒を入れて、弱火でことこと煮る

野菜の臭み消しに酒を入れ、弱火で20～30分煮る。酒は野菜からだしを出やすくする効果もあるよ。煮くずれするとだしの色がにごってしまうので、沸騰させないように注意。

3 〈ベジブロス〉の完成

万能こし器でボールにこし入れたら、でき上がり。みそ汁やスープ、カレーなど料理用の「水」代わりに、和洋問わずに使えるよ。冷蔵庫で3日ほど保存可能。

料理/タカコ ナカムラ　撮影/寺澤太郎

Part 3

果物と野菜の「ここ」がスゴイ！

太陽や水、土のパワーをもらって育った果物と野菜には、
自然のめぐみがたくさん詰まっているよ。
どんな性質を持っているのか、どんな成分が含まれているのか、
果物と野菜を使った料理と実験で、しっかり調べていこう！

みかんの「ここ」がスゴイ！

「ペクチン」が溶けてつるつるになる！

みかん缶のみかんの身に白い筋や薄皮がないのは、〈あること〉をすると、みかんに含まれる「ペクチン」という成分が溶けてしまうからなんだ。実際に作ってみよう！

つるつるみかんのシロップ漬け

下準備

● シロップの材料を鍋に入れて中火にかけ、グラニュー糖を溶かし、粗熱を取る。

1 みかんの皮をむき、白い筋を取って小房に分ける

みかんは皮をむき、太く白い筋をざっと取って、小房に分ける。細い筋は最後に薄皮といっしょに取れるので、写真くらい残っていてOK。

材料（作りやすい分量）

- みかん（M玉）…5～6個
- 重曹（食用のもの）…小さじ1/2
- シロップ
  - グラニュー糖（なければ砂糖）…80g
  - 水…250mℓ
- レモン汁…大さじ1

用意するもの

- 鍋
- バット
- 網じゃくし
- ボール
- 竹串
- ざる
- 保存容器

料理／落合貴子　撮影／三村健二　スタイリング／本郷由紀子

2 お湯を沸かし、重曹を入れてみかんを煮る

鍋に水500mℓを沸かす。沸騰したら、重曹を加え、さっと混ぜて溶かす。みかんを入れて、中火で1分30秒～2分煮る。

3 薄皮が透明になったら、火を止める

薄皮に気泡が入り、透明感が出てきたら、火を止めるタイミング。みかんによって時間に差が出るので、注意して見る。薄皮が完全に溶けるまで煮ると、身がくずれるので注意！

4 みかんを取り出し、水に入れる

網じゃくしでみかんをそっとすくい、水をはったボールに取り出す。みかんの身がとても柔らかくなっているので、そっと取り出して。

5 水を流して薄皮をはがし、さます

ボールの側面に当てるように水を流して、ボールの中の水の動きで薄皮をはがす（水をみかんに直接当てないようにする）。1分ほど待って完全にさまし、身をしめる。

6 残った薄皮と筋を取り、シロップに漬ける

残った薄皮を手でつまんで取る。背の部分の薄皮や筋など取りづらいところは、竹串を使うとよい。ざるに上げて水けをよくきり、保存容器に入れる。レモン汁をかけてシロップを注ぎ、冷蔵庫でよく冷やす。保存期間は2～3日。フレッシュなうちに食べてね！

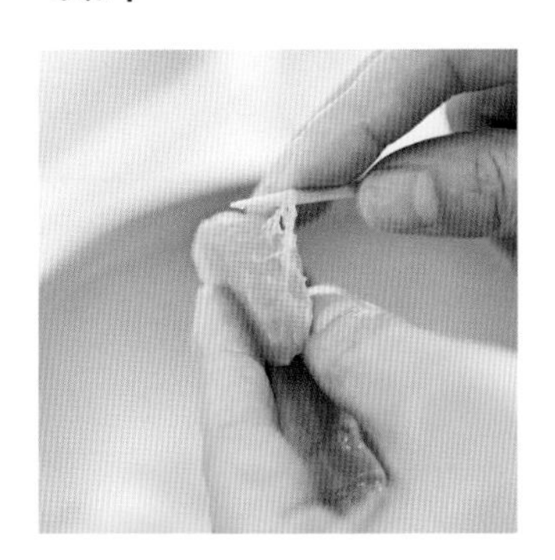

実験のたね明かし

たね1 ペクチンは食物繊維の一種！

「ペクチン」は食物繊維の一種。食べると腸を整えてくれるよ。また、アルカリ性の液体に入れて煮ると、分解されてしまうという性質もあるよ。

たね2 2で入れた〈重曹〉の魔法で皮が溶ける！

〈重曹〉を入れたお湯はアルカリ性の性質に変わるよ。だから「ペクチン」が含まれているみかんの白い筋や薄皮が溶けてしまうんだ。

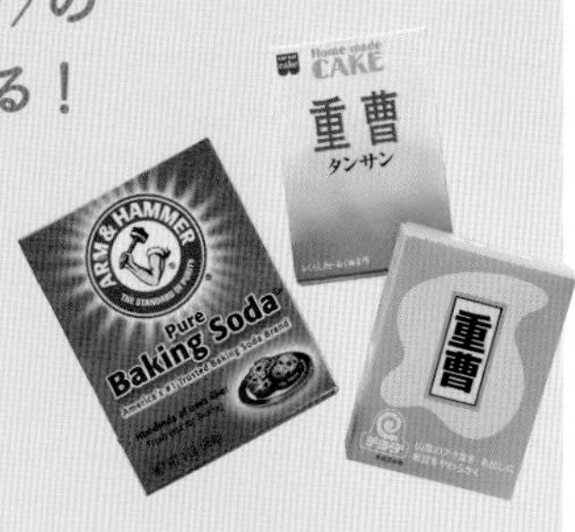

みかんをもっと知ろう！

みかんのスゴイところは「ペクチン」だけじゃない！
おいしさのヒミツや、知られざるパワーについてもっと見ていこう！

みかんの皮にはリラックス効果のある油が入っている！

みかんの皮をむくと、手に黄色い液体がつくことがあるよね？　あれはみかんの皮のぶつぶつである「油胞」という袋がつぶれて、中から「リモネン」などの油が出てくるからなんだ。リモネンはみかんの香りのもと。香料としても使われる成分で、リラックス効果があるよ。また、ほかの油とも仲よしでなじみがいいから、キッチンの油汚れを落とす洗剤などにもよく使われているよ。

やってみよう！

油性ペンの落書きをみかんの皮でこするとどうなる？

油と仲がいいということは、油の入った油性ペンで描いた落書きを、みかんの皮でこするとどんなことが起こるかな？　プラスチックの下敷きなどに、油性ペンで落書きしよう。乾いたらみかんの皮を持ちやすい大きさにちぎって、皮の外側で落書きをゴシゴシこすってね。

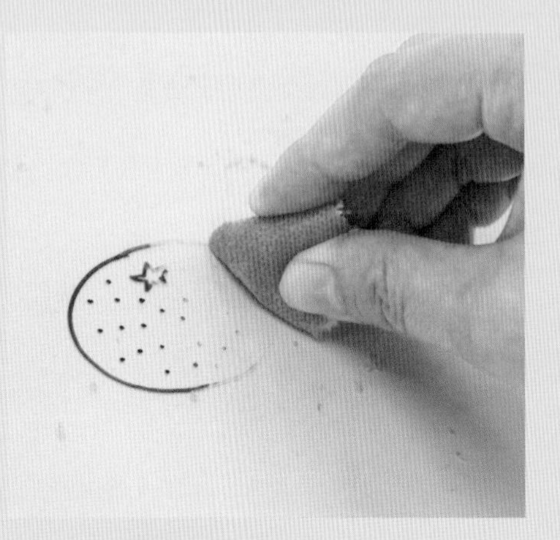

発見☆

みかんの皮から油が出てきて、落書きが少しずつ消えるよ。へた近くの堅い部分を使うとこすりやすいよ。

みかんは冷やすと甘さが増しておいしくなる！

みかんには、果物やはちみつに含まれる「果糖」と呼ばれる甘味成分が入っているよ。そしてこの、みかんに含まれている果糖は、温度が下がると甘みが増すという性質があるんだ。みかんを冷凍すると甘く感じられるのはこのため！　ちなみに、果糖は冷凍庫に入れても凍りにくいという性質もあるんだ。だから冷凍みかんはカチカチではなく、シャリシャリの食感が楽しめるんだね。

やってみよう！

冷凍みかんを作ってみよう

給食でも人気の冷凍みかん。ただ凍らせるだけでなく、ひと手間加えると、ぐんとおいしく作れるよ！　まず、みかんをそのまま一晩冷凍庫に入れて凍らせよう。凍ったら一度取り出して、冷たい水にくぐらせてから、また冷凍庫へ一晩入れよう。

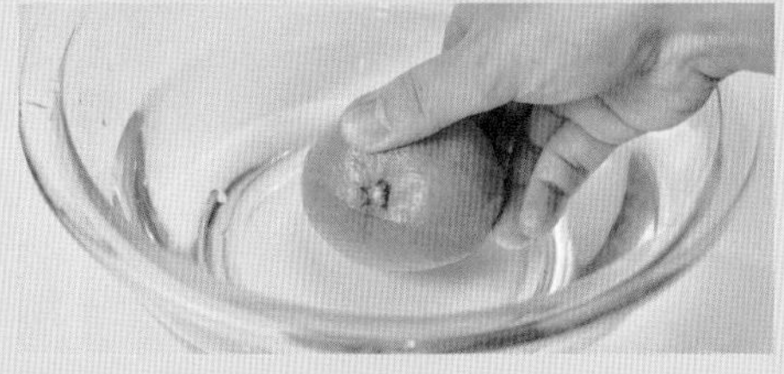

発見☆

冷たい水にくぐらせると、みかんの表面に氷の膜ができるんだ。みかんのジューシーさを守ってくれるから、ぐんとおいしさがアップするよ。

みかんには風邪などの病気を予防するパワーがある！

みかんにはたくさんの「ビタミンC」が入っているよ。このビタミンCはみかんの甘酸っぱいおいしさをつくっているだけでなく、免疫力を高めて風邪などの病気を予防するのに効果的なんだ。風邪が流行る季節には毎日でも食べたいね。

レモンの「ここ」がスゴイ！

「酸」のパワーでホットケーキがふくらむ！

ホットケーキミックスにレモン汁を加えるだけで、ふわふわ食感のホットケーキが作れるよ！　なんでふわふわにふくらむのか、作りながらそのからくりを調べてみよう。

ふわふわレモンホットケーキ

用意するもの

- 小さめの耐熱容器
- ボール
- 泡立て器
- ふきん
- フライパン、ふた
- フライ返し
- 竹串

材料（直径約12cmのもの3枚分）

- 生地
  - ホットケーキミックス…200g
  - 牛乳…170mℓ
  - レモン汁（できれば果実を絞ったもの）…小さじ1
  - 卵…1個
- バターまたはサラダ油…適宜
- トッピング
  - バター、メープルシロップ…各適宜

作り方

1　牛乳とレモン汁を合わせて加熱する

牛乳とレモン汁を耐熱容器に入れ、ラップをかけずに電子レンジで1分30秒ほど加熱する。牛乳がもろもろと固まったら、人肌程度にさます（分離しないときは、様子をみながら10秒ずつ加熱する）。

料理／福田淳子　料理プロセス再現／八鍬志保　撮影／寺澤太郎（料理）　西川節子（プロセス）　スタイリング／浜田恵子

2 卵に加えてよく混ぜる

ボールに卵を割り入れて溶きほぐし、1を加えてよく混ぜる。

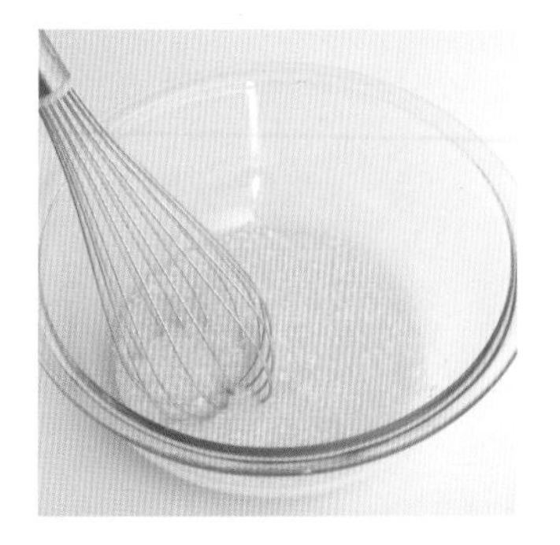

3 ホットケーキミックスを加えてかるく混ぜる

2にホットケーキミックスを加えてかるく混ぜる。しっかり混ぜすぎるとグルテンが形成されて、ホットケーキのふくらみがわるくなる原因になるので注意。

4 フライパンを温めて生地を流し入れる

ふきんをぬらしてしぼり、コンロの横に広げておく。フライパンにバターまたはサラダ油少々を入れてのばし、中火で1分ほど温めたら、ぬれぶきんに30秒ほどのせてさます。生地の1/3量を流し入れ、フライパンをコンロに戻して弱火にかける。

5 裏返して両面を焼く

ふたをして、表面がぷつぷつしてきたらフライ返しで裏返す。再びふたをして1分焼き、再び裏返して、竹串を刺して生地がつかなければ完成。残りも同様に焼いて器に盛り、トッピングする。

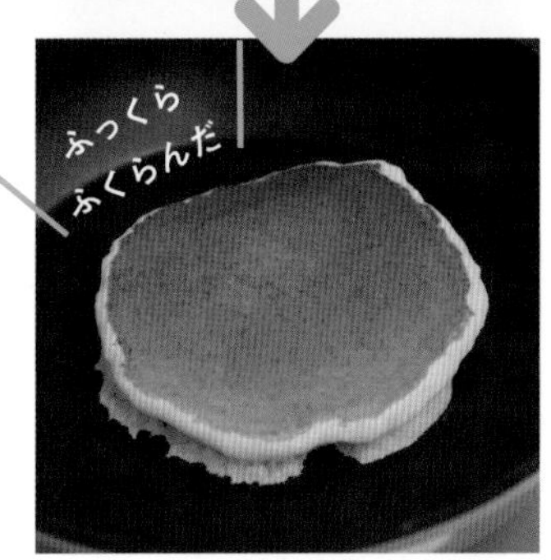

実験のたね明かし

ふっくらふくらむのは炭酸ガスによるもの！

ホットケーキミックスに入っている「ベーキングパウダー」には、アルカリ性の重曹と、酸性の成分が含まれていて、それらが反応して「炭酸ガス」を発生させるよ。5でレモン汁の「酸」が加わったことで、その反応が強くなって、よりたくさんの炭酸ガスが発生したんだ。炭酸ガスによって生地の中に空気がいっぱい入るから、ふっくらふくらむんだよ。

レモンをもっと知ろう！

料理やお菓子に大活躍の、酸っぱい果物といえばレモン！
その酸味とさわやかな香りに隠された、レモンの力を見ていこう！

レモンは魚介料理の臭みをやわらげてくれる！

焼き魚やお刺し身、貝などの魚介料理。おいしいけれど、魚の臭みが苦手だって子もいるかもしれないね。でも、レモンにはそんな魚の臭みをやわらげてくれる働きがあるんだよ。魚の臭みのおもな原因は、「トリメチルアミン」と呼ばれるアルカリ性の物質。この物質に、レモンの酸っぱさのもとである「クエン酸」が反応することで、魚の臭みが中和されるんだ。魚介料理の下ごしらえとして、レモンを薄く切ったものを魚の上にのせてなじませておいたり、食べるときにレモンを絞るのは、単にレモンの香りづけだけではなく、このクエン酸の力を使ったテクニックなんだよ。

レモンに入っている「クエン酸」は疲労回復にも役立つ！

レモンの酸っぱさのもと「クエン酸」は、体の疲労回復に欠かせない成分。炭水化物やたんぱく質などの栄養をエネルギーに変える「クエン酸回路」において、中心となる成分なんだ。クエン酸をとることで、クエン酸回路が活発に働き、スムーズに栄養をエネルギーに変えてくれるだけでなく、疲労のもとなる「乳酸」の分解を早めてくれるんだよ。

ほかにもクエン酸は「ミネラル」の吸収をよくしたり、食欲をアップさせてくれたりと、元気な体をつくるのに欠かせないはたらきをするよ。運動したあとや、疲れたな、と思ったらレモンでクエン酸をとるといいんだね。

レモンは素材の色合いをきれいに保つ！

野菜や果物を切ってそのまま放っておくと、切り口が黒ずんでしまうことがあるよね？　これは野菜や果物に含まれる「ポリフェノール」という酵素が、空気中の酸素と結びつく「酸化」が原因なんだ。そしてこの酸化を防ぐのに効果的なのが、レモンに含まれる「ビタミンC」！　野菜や果物の切り口にレモン汁をかけておくと、レモン汁がふたの役割をしてくれて、切り口が酸素に触れるのを防いでくれるよ。

やってみよう！

アボカドの断面にレモン汁をかけておくとどうなる？

切ったばかりのアボカドの切り口は鮮やかなクリーム色をしているよ。時間がたつにつれて切り口がどんな色になっていくか、レモン汁をかけた場合とそうでない場合を比べてみよう！

レモン汁をかけた
アボカドの切り口

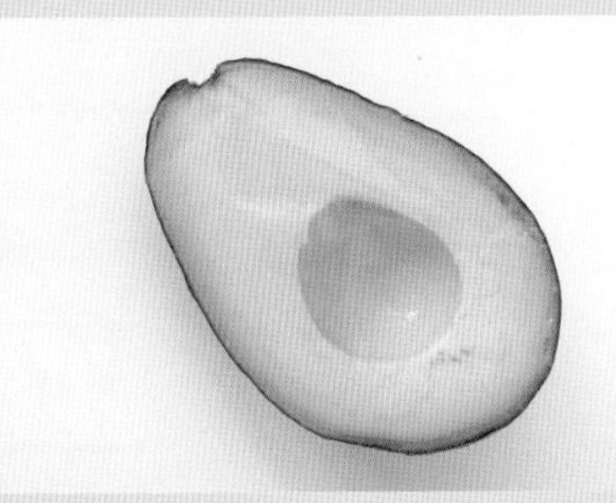

レモン汁をかけていない
アボカドの切り口

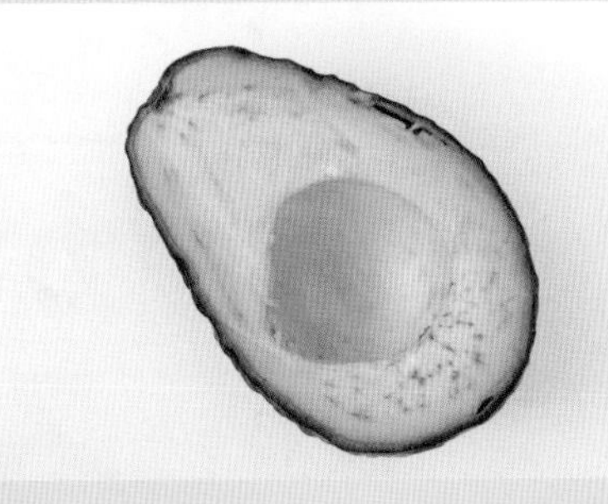

発見☆

レモン汁をかけずに置いておいたアボカドは、切り口が茶色くなってしまったね。一方で、レモン汁をかけて置いておいたアボカドの切り口は、きれいなクリーム色のまま！　比べるとわかりやすいね。

ブルーベリーの「ここ」がスゴイ！

「アントシアニン」で生地の色が変わる！

ブルーベリーを生地に加えると、「アントシアニン」の力によって青色、続いて灰色がかった緑に変化するよ！　さらにレモン汁を入れると赤くなるんだ。色の変化に注目！

色変！　ブルーベリー蒸しパン

用意するもの

- プリン型8個（口径7×高さ3cm程度のもの）
- 薄い紙カップ8枚（口径7×高さ3cm程度のもの）
- フライパン、ふた
- ふきん2枚
- 輪ゴム
- ボール2個
- 泡立て器
- スプーン
- 耐熱皿（直径26cmのフライパンに入るもの）
- 清潔な軍手
- 竹串

下準備

- プリン型に薄い紙カップを入れる。
- フライパンのふたをふきんで包み、ふたのつまみ部分に輪ゴムで固定する。

材料（8個分）

- ホットケーキミックス…150g
- 卵…2個
- 砂糖…40g
- サラダ油…大さじ2
- 牛乳…1/2カップ
- ブルーベリージャム…大さじ1（約20g）
- レモン汁…大さじ1/2

取材協力／尾嶋好美（筑波大学GFESTコーディネータ）　料理・スタイリング／八木佳奈　撮影／岡本真直

作り方

1 生地を作る

ボールに卵を溶きほぐし、砂糖を加えて泡立て器ですり混ぜる。白っぽくなったらサラダ油、牛乳を順に加え、そのたびによく混ぜる。ホットケーキミックスを加えてさらに混ぜる。

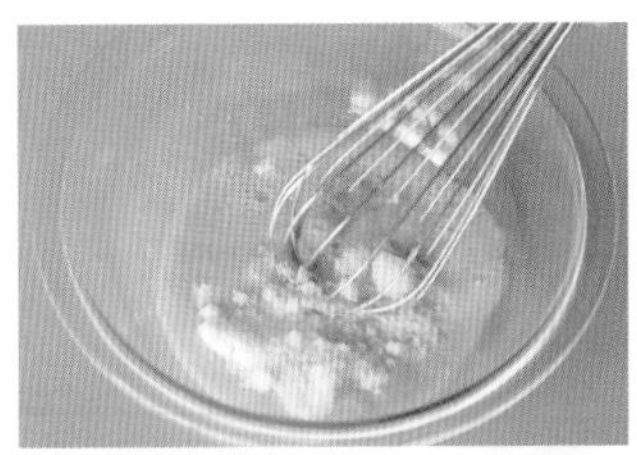

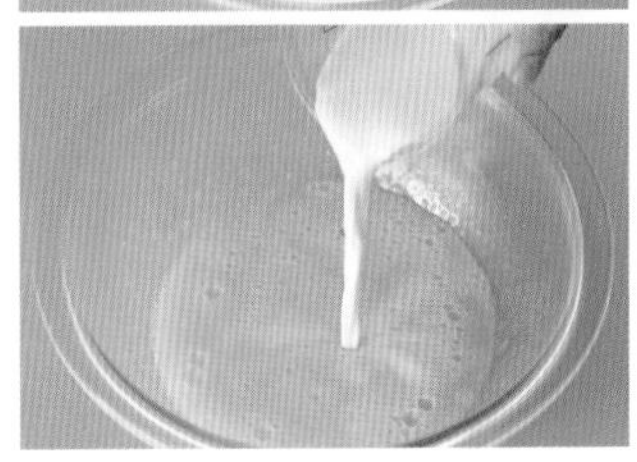

2 ブルーベリージャムを加える

全体がなめらかになったら、ブルーベリージャムを加えてよく混ぜる。

生地が灰色がかった緑色になった！

3 生地を半分に分け、レモン汁を加える

別のボールに2の1/2量を分け、一方の生地にレモン汁を加えてよく混ぜる。

生地がだんだん赤色に変わっていくよ！

4 生地を4個ずつ蒸す

3の生地をスプーンで型に4個ずつ等分に入れる。

フライパンにふきん1枚を敷いて耐熱皿をのせる。フライパンの縁から、耐熱皿に入り込まないように、水適宜を注ぎ入れる。ふたをして中火にかけ、蒸気が上がったら弱めの中火にする。軍手をはめ、耐熱皿に型4個を間隔をあけて置く（やけどに注意）。ふたをして12分ほど蒸し、竹串を刺し、生地がついてこなければ蒸し上がり。取り出して粗熱を取る。残りも同様に蒸す。

レモン汁を入れた生地は黄色っぽくなった！

実験のたね明かし

アントシアニンは、酸性、アルカリ性で色が変わる！

ブルーベリーの紫色は「アントシアニン」という色素。この色素は、中性では紫色だけど、アルカリ性では青色、酸性では赤色に変化するんだ。2で生地が灰色がかった緑色になったのは、ホットケーキミックスに含まれているアルカリ性のベーキングパウダーに反応して青色に変わったあと、卵の黄色と混ざったから。3でレモン汁を加えた生地が赤色になったのは、酸性に反応したからなんだよ。加熱するとアントシアニンが退色するから、蒸し上がりは黄色っぽくなるんだ。3でレモン汁を入れていないほうの生地はアルカリ性のままだから、蒸し上がりは青みがかった色になるよ。

酸性　　中性　　アルカリ性

ブルーベリーをもっと知ろう！

ブルーベリーの色素「アントシアニン」の力は色だけじゃない！
ほかの効果といっしょに、おいしさのヒミツも教えるよ。

ブルーベリーの「アントシアニン」は目の健康に効果的！

青紫色の色素「アントシアニン」は、ポリフェノールの一種。これは目や体の老化防止に欠かせない栄養素なんだ。ブルーベリーにはこのアントシアニンがたくさん含まれていて、食べることで目の緊張をほぐしてくれたり、目の疲れをやわらげてくれる効果が期待できるといわれているよ。

ブルーベリーの食物繊維はバナナの2倍以上！

うんちの通りをよくして、おなかの調子を整えてくれる栄養素といえば食物繊維！　果物のなかでもブルーベリーには、そんな食物繊維がたくさん含まれているよ。その量はなんと、バナナの2倍以上！

そのヒミツは皮にあって、食物繊維は果物の果肉よりも皮に多く含まれているんだ。ブルーベリーは皮ごと食べられるから、たくさん食物繊維をとることができるんだね。

ブルーベリーは冷凍すると栄養価がアップする！

ブルーベリーは「アントシアニン」や食物繊維のほか、ビタミンA、C、Eが多く含まれていることでも知られていて、とても栄養価の高い果物なんだ。そして、これらの栄養価は、冷凍することでアップするんだよ。冷凍するときは、なるべく新鮮なうちに、しっかり水けをきってね。

栄養価アップ

やってみよう！

冷凍ブルーベリーで炭酸ジュースを作ろう！

冷凍しておいたブルーベリーを炭酸水に入れて溶かせば、簡単においしいシュワシュワドリンクが作れるよ！　レモン汁を加えて色の変化にも注目してみよう。

冷凍したブルーベリーをコップに入れてつぶしたら、炭酸水を注ぐだけ。冷凍ブルーベリーが氷の代わりになって、よく冷えた炭酸ジュースに！

さらにレモン汁を加えると、「アントシアニン」とレモンの「酸」が反応して、炭酸水が赤くなるよ。さわやかな風味もアップ！

ブルーベリーの表面の白い粉は新鮮な証拠！

ブルーベリーの皮に見られる白い粉のようなものは、「ブルーム」と呼ばれる「果粉」なんだ。これは、果実が乾燥したり、病気になったりするのを防ぐために出されるもので、新鮮さを保つ働きがあるんだよ。だから「ブルーム」は、食べても問題なし！　おいしさを教えてくれる目印として、覚えておくといいよ。

大豆の「ここ」がスゴイ！

浸水させると2.5倍の大きさになる！

堅くて丸い大豆。水に長時間つけると、なんと2.5倍ほどに細長くふくらんで柔らかくなるんだ。大豆の水煮にチャレンジして、観察してみよう！

大豆のふっくら水煮

作り方

1 大豆を浸水させる

大豆はさっと洗ってボールに入れ、4～5倍量の水につける。6時間後、大豆が水分を充分吸ったらざるに上げて水けをきる。しっかり吸水した大豆は、乾燥した状態の2.5倍ほどの大きさに。真夏など気温の高い時季は、8時間以上つけると水がいたむため、長くつけるときは冷蔵庫へ。

材料（ゆで上がり650～680g分）

- 大豆（乾燥）…300g
- 塩…小さじ1

用意するもの

- 大きめのボール
- ざる
- 口径約20cmの鍋
- おたま
- ペーパータオル

2 水と塩を加えて煮立てる

鍋に大豆と4～5倍量の水を入れ、塩を加えて中火にかけ、煮立ってきたら、おたまでアクを取る。

3 落としぶたをして弱火でゆでる

ペーパータオルで落としぶたをし、弱火で60～70分ゆでる。落としぶたをすると、大豆が乾燥するのを防ぐだけでなく、ゆで汁が対流するため、均一に火が通り、ふっくらとゆで上がるという利点も。このとき、大豆が顔を出さないよう、様子をみてときどき差し水をする。

4 堅さを確認する

大豆を親指と人さし指ではさみ（やけどに注意）、柔らかくつぶせたら火を止める。

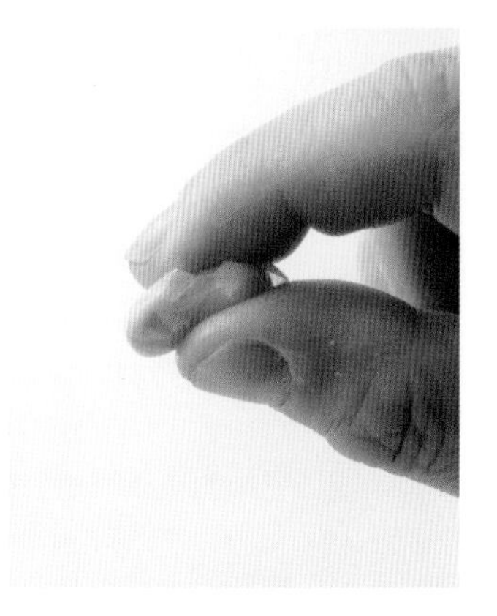

5 鍋の中でさます

そのままゆで汁の中でさます。こうすることで、ゆで汁に含まれた栄養やうまみが大豆に再び吸収される。

実験のたね明かし

大豆の正体は、枝豆が完全に熟してカラカラに乾燥してから収穫したもの。だから、水につけると水分を吸収してふくらんで、枝豆のような細長い形にもどるんだ。乾燥した大豆は長期保存が可能で、食べるときには、基本的に水でもどしてから料理に使うよ。

大豆をもっと知ろう！

大豆がさらにスゴイのは、さまざまな食材や調味料に加工されること。いったいどんな食品に変身するのかな？

大豆ってどんなもの？

大豆は「畑のお肉」と呼ばれるほど、たんぱく質や脂質をたくさん含んでいるんだよ。マメ目マメ科に属している穀物の一種で、一年草なんだ。5月ごろに種をまくと芽が出て、日の当たる場所で育てていくと、さやの中に豆ができてくるよ。さやが緑色の状態で収穫したものが枝豆。さやが枯れて茶色くなるまで待って、11月ごろに収穫したものが大豆なんだ。

別の食材や調味料に変身するよ！

大豆はそのまま豆として食べるだけでなく、別の食材や調味料の原料にもなっているんだ。大豆からできているものには、こんなものがあるよ。

【みそ】

大豆を蒸すか煮るかして、麹、塩を混ぜ合わせ、発酵させてつくるよ。「米麹」を使ったら米みそ、「麦麹」を使ったら麦みそになるんだ。

【納豆】

大豆と納豆菌によって作られるよ。大豆の成分を栄養にして納豆菌が増えるんだ。納豆のねばねばと独特のにおいは、納豆菌によるものなんだよ。

【しょうゆ】

大豆、小麦、塩が主な材料。微生物によって発酵させてつくるよ。江戸時代から、基本的なつくり方はほとんど変わっていないよ。

【きな粉】

大豆をいったあとにひいて、粉にしたものだよ。きな粉は古くからある食品で、お餅にまぶしたりお菓子に加工したりして食べることが多いよ。

【豆乳】

大豆を浸水させて柔らかくしてすりつぶし、水を加えて煮つめたものをしぼった汁のことだよ。しぼったあとに残ったものが「おから」だよ。

【豆腐】

豆乳をにがりなどの凝固剤で固めて作るよ。水分が多くて柔らかい「絹ごし豆腐」や、堅くてしっかりした食感の「木綿豆腐」があるよ。

やってみよう！

豆腐を作ってみよう

豆乳を使って、簡単に豆腐が作れるよ。海水から塩を取り出したときに残った液体「にがり」を加えて、電子レンジで加熱するだけ。豆乳は「成分無調整」で、大豆固形分11％以上のものを使うようにして。11％未満のものや調製豆乳は大豆の濃度が低く、うまく固まらないことがあるよ。

口径10㎝、高さ6～7㎝くらいの小さめの耐熱のボールに、冷蔵庫で冷やした豆乳（成分無調整）1/2カップ、にがり小さじ1/4を入れる。

スプーンで、右回りに10回、左回りに10回、泡立てないように静かに混ぜる。ラップをせずに、電子レンジで1分ほど加熱する。

取り出してボールをそっと揺らしてみて、豆腐の中央がふるふると揺れるくらいになっていれば完成！

スプラウトの「ここ」がスゴイ！

おどろきの「発芽力」で土なしで育つ！

スプラウトとは「貝割れ菜」や「もやし」などの新芽のこと。土がなくても1週間ほどで食べられるくらいまで生長するよ！　実際に育てて食べてみよう。

貝割れ菜の育て方

下準備

● ココットの底の大きさに合わせてペーパータオルを2枚切り、底に重ねて敷く。

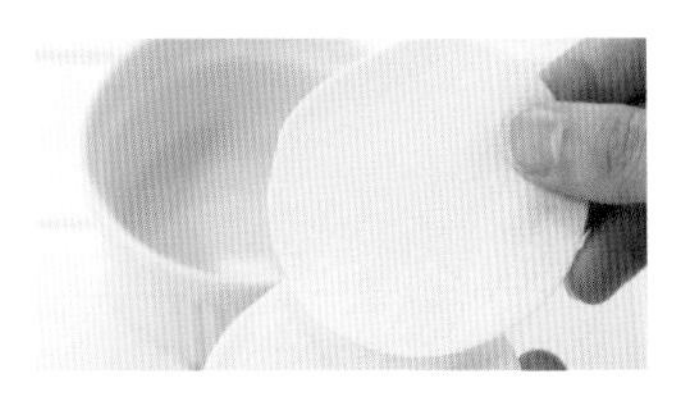

作り方

1 種をまく

霧吹きでココットの底に水を吹きかけて湿らせ、種をまんべんなくまく。種どうしがくっつきすぎると根が張らないので注意。

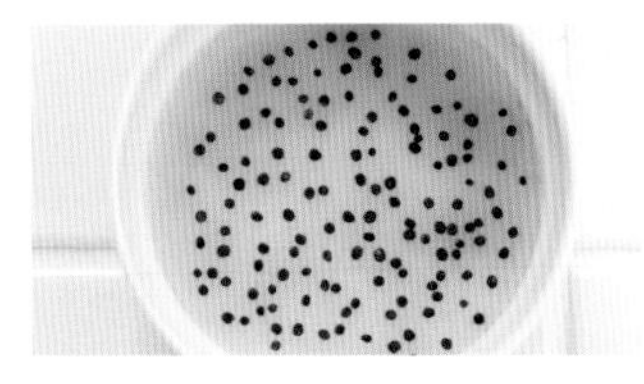

材料

● ブロッコリーの種（スプラウト用）

用意するもの

● ココット（口径7×高さ4cm程度のもの）
● ペーパータオル
● 霧吹き
● 新聞紙
● はさみ

2 水をまんべんなく吹きかける

霧吹きで種に水を吹きかける。種が浮くほど水を与えると腐りやすくなるので、全体が湿る程度にする。

3 光を当てず、一日1回水を吹きかける

新聞紙をのせ、芽が出て茎がある程度伸びるまで、光を当てないようにする。芽が出るまでは、一日1回水を吹きかける。ペーパータオルに根が張ったら、一日1回直接水を注ぎ、揺らすようにすすいで、しっかり水をきる。

4 光を当てる

5日ほどたって、茎が2cmほどに伸び、双葉が開いたら、新聞紙をはずす。明るい場所に移して光を当てる。一日1回、直接水を注ぎ、揺らすようにすすいで、しっかり水をきる。

5 収穫する

茎が5cmくらいになったら食べごろ。根元をはさみで切って収穫する。

加熱すると栄養が失われやすいから、生で食べるのがおすすめ。チーズやサーモンといっしょにパンにのせて食べるとおいしいよ！

実験のたね明かし

土も肥料もなくても スプラウトは水だけで生長する！

スプラウトの栽培に必要なのは、新鮮な水と空気だけ！　土も肥料もなくても、種自体の栄養だけで生長するんだ。ブロッコリーのスプラウトは、光の当たらない暗い場所で育てるよ。光をさえぎることで、光を求めて茎がひょろひょろと細く長く伸びるんだ。ある程度茎が伸びたあと明るい場所に移動させると、葉が濃い緑色になるよ。種まきから約1週間で収穫！　すごい発芽力だね。

スプラウトをもっと知ろう！

スプラウトのスゴイところは、土がなくても育つだけじゃない！
「スーパーフード」としても注目されている理由をもっと見ていこう。

小さな芽には栄養がギュッと詰まっている！

種から1週間〜10日くらいで食べられるまでに生長するスプラウトは、育つために必要なさまざまな成分がギュッと濃縮されているから、品種によっては生長した大人の野菜よりも栄養価の高いものが多いんだ。たとえば、貝割れ菜とその貝割れ菜が生長した大根の、100gあたりに含まれる「ビタミンC」の量を比べてみると、大根の約4倍ものビタミンCが貝割れ菜には含まれているよ。
　また、ブロッコリーやレッドキャベツ、マスタードなど、最近ではさまざまなスプラウトが販売されているよ。そのどれをとっても大人よりもこどもであるスプラウトのほうが栄養がギュッと詰まっていることがわかっているんだ。

スプラウトの辛みは第7の栄養素「ファイトケミカル」！

「ビタミンC」だけでなく、スプラウトにはもっとスゴイ栄養素が詰まっているんだ。それが、「ファイトケミカル」と呼ばれる第7の栄養素。最近では、ウイルスやストレスへの免疫力、美肌につながる抗酸化力を高める効果も期待できるといわれているよ。ファイトケミカルの「ファイト」は、植物という意味で、植物が自身を食べようとする昆虫などから身を守るための成分なんだ。新芽のときはとくにねらわれやすいから、このファイトケミカルをたくさん蓄えているんだね。貝割れ菜が辛いのは、このファイトケミカルの特徴だよ。

もやしも新鮮な水と空気だけで育つ！

もやしは豆や穀類の種に光を当てずに発芽させたもの。芽と茎を食べる貝割れ菜とは違い、もやしは種と根っこを食べるんだ。育てるのに使う種は、緑豆もやしとして売られているグリーンマッペや、レンズ豆がおすすめだよ。根がパンパンに水を含んで生長するから、こまめに新鮮な水と空気をいきわたらせるのがポイント。最初の1～2日は、一日3回は水ですすいで育てよう。

やってみよう！

もやしをびんで育てよう！

グリーンマッペの種とびん（口径9×高さ15cm程度のもの）、びんにふたをするためのガーゼと輪ゴム、光が当たらないようにするための段ボール箱を用意してね。

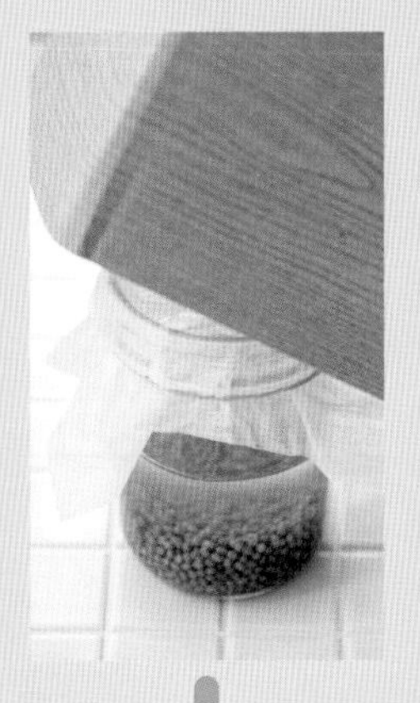

煮沸消毒したびんに、びんの高さの1/6程度の量の種を水で洗って入れる。びんの半分の高さまで水を注ぎ、口にガーゼをかぶせて輪ゴムで留める。光が当たらないように、びんに段ボール箱をかぶせて、そのまま一晩（12時間以内）おく。

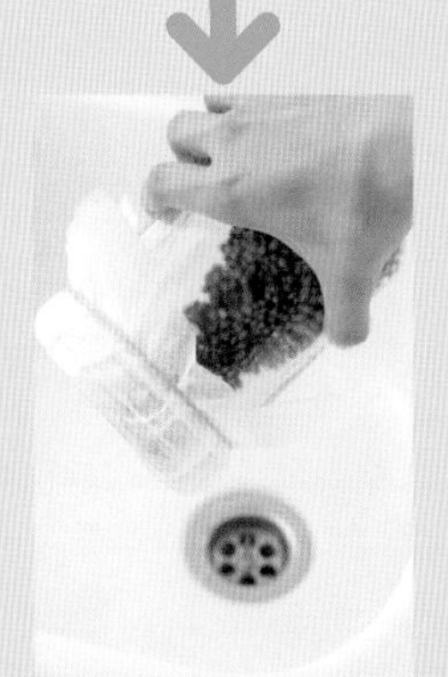

一晩たったら、ガーゼをつけたまま水を捨てて、ガーゼの上からびんの半分まで水を注ぐ。びんを揺らして種をすすぎ、しっかり水をきる。再び段ボール箱をかぶせる。

２日目からは根が出るまで一日３回、根が出てからは一日２回、同じように水ですすぎ、段ボール箱をかぶせる。１週間くらいたって、根が2cmくらいになり、びんの中がいっぱいになったら収穫する。

果物と野菜のチップスを作ってみよう！

果物と野菜を乾燥させて
チップスタイプのお菓子作りに挑戦！
果物はオーブンで、
野菜は電子レンジで簡単に作れるよ。

果物⇨オーブンで焼く

低温のオーブンで乾燥させて、甘みや酸味を
ギュッと濃縮させるのがポイントだよ。

りんごチップスの作り方

① りんごを薄く切る

りんご1個はよく洗い、皮つきのまま縦半分に切る。軸のまわりの堅い部分を包丁で切り、種のまわりをスプーンで丸くくりぬく。横に幅5㎜に切る。

② オーブンで焼く

オーブンを120℃に予熱する。りんごをペーパータオル2枚ではさみ、しっかりと汁けを拭き取る。天板にオーブン用シートを敷き、りんごを重ならないように並べる。120℃のオーブンで1時間焼き、上下を返してパリッとするまでさらに45分〜1時間焼く。

③ 水分をとばして完成！

りんごを揚げ網やざるなどに取り出して広げる。15分ほどおいてさまし、余分な水分をとばす。

こんな果物も！

バナナ

材料と下ごしらえ：バナナ3本は皮をむき、幅5㎜の輪切りにする。
加熱時間：120℃のオーブンで1時間焼き、上下を返してパリッとするまでさらに45分〜1時間焼く。

料理／市瀬悦子　撮影／木村 拓（東京料理写真）　スタイリング／深川あさり

野菜⇨電子レンジで加熱する

パリッパリの食感に手が止まらなくなるポテトチップス。
揚げずに、電子レンジで手軽に作れるよ。

ポテトチップスの作り方

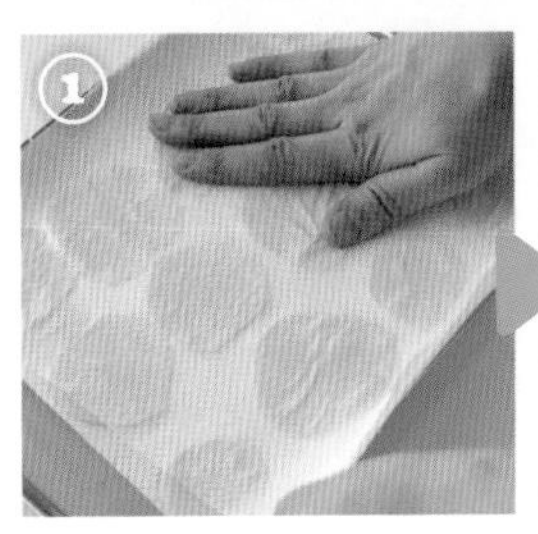
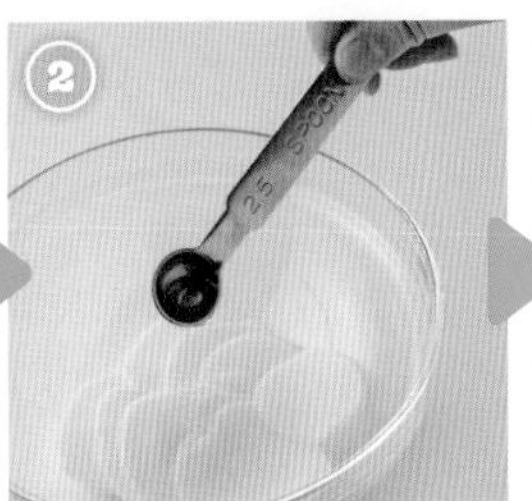
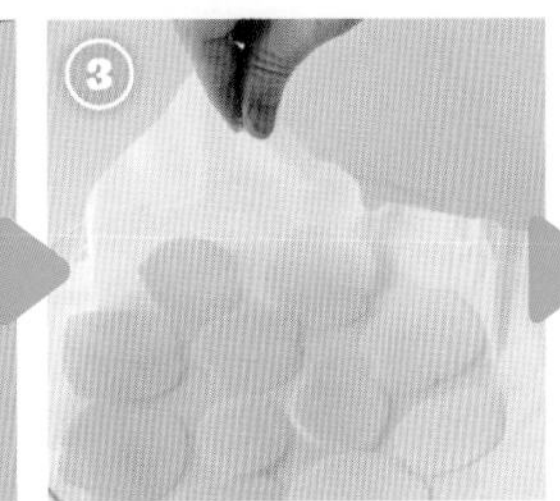
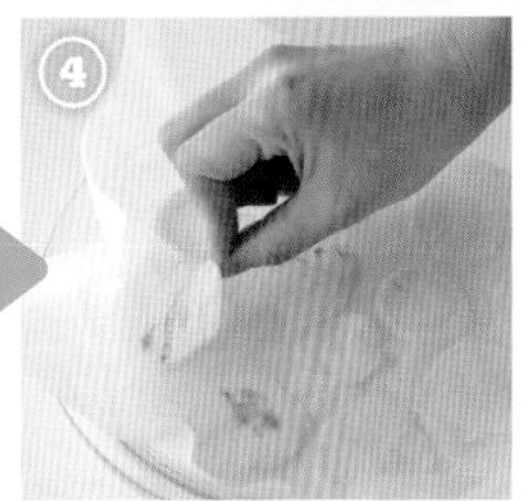

① じゃがいもを薄く切る

じゃがいも(小)1個(約100g)は皮をむき、スライサー（なければ包丁）で幅1～2㎜の薄切りにする(22～24枚が目安)。ペーパータオルを敷いたバットなどに並べ、さらにペーパータオルをのせてはさみ、しっかり水けを拭く。

② サラダ油をからめる

①の1/2量をボールに入れ、サラダ油小さじ1/2を加えて全体にからめる。

③ 耐熱皿に並べて塩をふる

直径20㎝の耐熱皿にオーブン用シートを敷き、②を重ならないように並べて、塩少々をふる。

④ 電子レンジで加熱して完成！

ラップをかけずに電子レンジで3分加熱し、裏返す。皿の前後を逆にしてレンジに戻し入れ、さらに30秒ほど加熱する。しんなりしている部分があれば、様子をみながら20～30秒ずつさらに加熱する。全体がカリッとしたら、ざるなどに広げて粗熱を取る。②～④を参照し、残りも同様にする。

注意点　●野菜の量が少なすぎたり、長時間加熱したりすると、引火するおそれがあるよ。必ず一回の量と時間を守って、こまめに様子をみながら加熱してね。

こんな野菜も！

かぼちゃ

材料と下ごしらえ：かぼちゃ1/12個(約100g)はわたと種を取り除いて長さを半分に切り、縦に幅1～2㎜の薄切りにする。上記の②、③と同様にサラダ油をからめ、塩をふる。
加熱時間：電子レンジで2分30秒加熱し、裏返してさらに30秒ずつ様子をみながら、全体がカリッとするまで加熱する。

料理／髙山かづえ　撮影／中本浩平　スタイリング／新田亜素美

〈もったいない〉をなくそう ③

『捨てちゃうところを使って！』

ぶどうの皮で布を染めてみよう！

豆乳のたんぱく質によって、色が入りやすくなるよ。

材料

- ぶどうの皮※…2房分
- 白いハンドタオル（約15×15cm、綿か絹100％のもの）…3枚
- 豆乳（成分無調整）…1ℓ
- 穀物酢…500mℓ

※巨峰やピオーネがおすすめ。

用意するもの

- ボール
- ビニール手袋
- 水きりネット2枚
- 輪ゴム
- 菜箸

下準備（前日までに）

- ボールに豆乳を入れ、ハンドタオルを浸す。ビニール手袋をつけ、手でよくもんでしみ込ませる。30分ほど浸したままにし、よく絞って風通しのよい日陰でしっかり乾かす。

作り方

1 ぶどうの皮をネットに入れる

ボールに水きりネットを2枚重ねて広げ、ぶどうの皮を入れる。ネット内に余裕を持たせた状態で、口を輪ゴムで縛る。

2 酢とお湯を加える

1に酢を入れて、ぬるめの湯（40℃前後）を約300mℓ加える。

3 強くもんで色を出す

ビニール手袋をつけ、酢水の中でネットの上から、ぶどうの皮の繊維をくずすように強くもむ。酢水が写真のような濃い紫色になるまで10分ほどもみ、取り出す。

4 タオルを浸して染める

3に下準備したタオルを入れる。手でもんで全体に色をしみ込ませてから、2～3時間おく。ときどき表面に浮いてきたタオルを菜箸でつついて液に浸す。

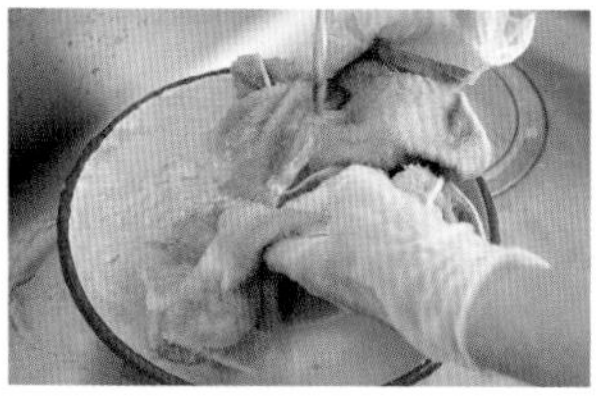

5 もみ洗いして乾かす

流水に当てながら、タオルをもみ洗いする。色が出なくなったらよく絞り、風通しのよい日陰でしっかり乾かす。

取材協力／箕輪直子（染織家）　撮影／飯貝拓司

季節のおやつを作ろう

春、夏、秋、冬を意識して、おいしいおやつを作ってみよう。
おやつを作る工程にも、科学が潜んでいるから、
じっくり観察しながら作っていこう。
だんだん作り慣れてきたら、ソースやトッピングで〈味変〉して、
いろんな食べ方を考えてみてね！

春のおやつ

いちごジャムを作ろう

春はみんなが大好きないちごを使って、とっておきのジャムを作ろう！
しっかり煮つめると、とろとろになるよ。最後にまるごとのいちごを加えて、食感も楽しもう。

用意するもの

- 包丁、まな板
- ボール2個
- ホーロー（またはステンレス）の小鍋
- ゴムべら
- 保存容器

材料（でき上がり約250mℓ分）

- いちご…1パック（約300g）
- 砂糖…125g
- レモン汁…大さじ1

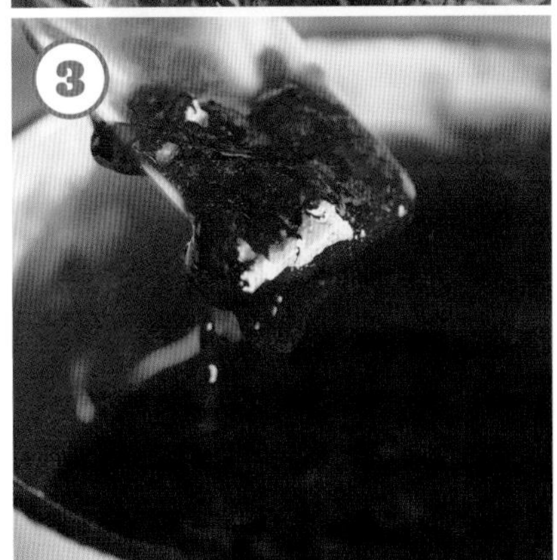

① いちごを切って、砂糖をからめる

いちごはへたを切り落とし（残った部分が250gになる）、2/3量はソース用として縦に4等分、大きければさらに横半分に切ってボールに入れる。残りは切らずに別のボールに入れる。まるごとのいちごに砂糖大さじ1を、ソース用のいちごに残りの砂糖とレモン汁を加えてからめる。水分が出るまで室温に30分ほど置く。

② ソース用のいちごを火にかける

ホーローの小鍋に①のソース用のいちごを汁ごと入れ、中火にかける。ふつふつと泡が出たら弱火にする。

③ しっかり煮つめる

ゴムべらで絶えず混ぜながら8～10分煮て、いったん火を止める。鍋底をへらでこすってみて、筋ができてすぐ消えるくらいのとろみがつけばOK。

④ まるごとのいちごを加えて、できあがり

もう一度弱火にかけ、①のまるごとのいちごを汁ごと加える。ゴムべらで混ぜながら30秒ほど煮て、火を止める。粗熱が取れたら保存容器に入れ、ふたをせずに完全にさます。さめたらふたをし、冷蔵庫に入れて1週間ほど保存可能。

いちごジャムのおいしいヒミツ

いちごジャムのとろみや、一度作ったらフレッシュなおいしさが長もちするのには、ちゃんと理由があるんだよ！

Q なんでいちごを煮つめるとプルプルのとろみがつくの？

A いちごに含まれる「ペクチン」が水分を閉じこめるからだよ

いちごには「ペクチン」という食物繊維が含まれていて、これがいちごの形を保つ役割をしているよ。ところが、煮つめることでいちごの形がくずれ、ペクチンが外の水分に溶け出したところに、砂糖を加えると、ペクチンどうしがからみ合って網目のようになるんだ。この網目の中に水分が閉じこめられることで、ジャムのとろみがついた状態になるんだよ。

トロ〜リ
水
合体！
ペクチン

Q なんでジャムは長もちするの？

A 砂糖を加えて煮つめることで、食べ物を腐らせる微生物が増えにくくなるからだよ！

食べ物に含まれる水分は、「自由水」と「結合水」に分かれるよ。食べ物を腐らせるカビや細菌などの微生物は、自由水を利用して増えていくんだ。結合水は微生物が増えるためには利用できないから、食べ物を長もちさせるには、自由水の量を減らせばいいんだ。砂糖を加えると、自由水と結びついて結合水に変わるから、自由水の割合が減るよ。さらにジャムは加熱して煮つめているから、食べ物を腐らせる水分そのものの量も減っているんだ。

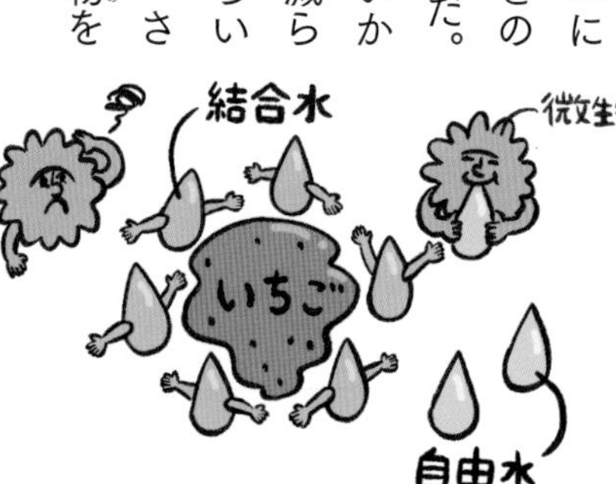

アレンジしても楽しい！

① ＋練乳

いちごと練乳は王道コンビ。びんの半分までジャムを詰めたら、びんを少し傾けて練乳をそっと流し込んで。牛乳に入れれば、濃厚ないちごミルクのでき上がり！

② ＋ピーナッツバター

アメリカでは、ピーナッツバターとジャムの組み合わせが人気なんだって。ジャムと同量程度合わせれば、香ばしさと甘酸っぱさが絶妙！　スコーンやマフィンとめしあがれ。

③ ＋チョコレート

板チョコを刻んで、ジャムにたっぷり混ぜるだけ。冷たいままはもちろん、焼きたてのトーストにのせれば、チョコがとろりと溶けておいしいよ！

④ ＋バター

バターは室温にしばらく置いて柔らかくしてから、よく練って。同量のいちごジャムを少しずつ加えて混ぜれば、かわいいピンク色の「いちごバター」に。

夏のおやつ

アイスクリームを作ろう

夏はシャリッと軽い口溶けが味わえる、アイスクリームを作ろう。
作り方は混ぜて凍らせるだけだから、とっても簡単だよ！

材料
（約21×15×高さ5cmのバット1個分）

- 溶き卵…Mサイズ1個分
- 砂糖…30g
- 練乳…20g
- 牛乳…1カップ
- 好みでさくらんぼ（缶詰）、ウエハース…各適宜

用意するもの

- ボール　●ゴムべら
- バット（21×15×高さ5cm程度のもの）
- ラップ
- スプーン

料理／八木佳奈　撮影／豊田朋子　スタイリング／阿部まゆこ

① 材料を混ぜる

ボールに溶き卵を入れ、砂糖を加えて、ゴムべらなどでざらつきがなくなるまですり混ぜる。練乳、牛乳を加え、全体がなじむまでさらに混ぜる。

② バットに流し入れて凍らせる

①をバットに流し入れ、ラップをかけて冷凍庫で3～4時間凍らせる。

③ 盛りつけて、でき上がり

冷凍庫から取り出し、表面が柔らかくなったらスプーンで適宜かき出して、器に盛る。好みでさくらんぼ、ウエハースを添える。

アイスクリームのおいしいヒミツ

アイスクリームのなめらかな口溶けと舌ざわりのヒミツは、ちゃんと作り方の中に隠されているよ！

Q どうしてカチカチに固まらずにふんわりとした食感になるの？

A 材料をなめらかになるまで空気を含ませながら混ぜるからだよ

アイスクリームの材料の牛乳や卵、練乳は、どれも液体だけど、それぞれの舌ざわりが違うよね？　だから均一な舌ざわりにするには、しっかりと材料を混ぜ合わせることが大切なんだ。混ぜるときに空気が多く含まれるからふんわりとした食感になるよ。空気を多く含ませるほど、よりふんわりとした食感になるから試してみてね。

空気を含ませる！

ひとくちメモ

浅めのバットで凍らせるのが成功のカギ！

なめらか食感のアイスクリームを作るコツは、一気に冷やすこと。P85のように浅めのバットを使うと、冷凍庫の中で冷たい空気に触れる面積が広くなって、早く冷やせるよ。深い容器しかない場合は、容器を分けて少しずつ入れて冷やそう。

アレンジしても楽しい!

① ミルクセーキ

P84のアイスクリーム1/2量をグラスに入れてスプーンで全体がとろりとするくらいまで混ぜよう。アイスクリームがほどよく溶けて、ストローで飲める、シャリシャリのミルクセーキに変身!

② ココアミルクセーキ

ココアパウダー大さじ1/2をお湯大さじ1に混ぜて、ココア液を作ろう。これをP84のアイスクリーム1/2量に加えて①と同じように混ぜれば、ココアミルクセーキのでき上がり。

③ いちごマーブルアイス

P84のアイスクリームの材料の砂糖を20gに減らし、バットに入れたあと、いちごジャム50gを5～6カ所に加えて凍らせよう。器にコーンフレーク(プレーン)を敷き、ミントを添えて盛りつけて。

④ フローズンフルーツアイス

P84のアイスクリームの材料の砂糖を20gに減らし、牛乳を加えたあと、ミックスフルーツ(缶詰・汁けをきったもの)100gを混ぜて凍らせよう。凍ったフルーツで甘酸っぱい味わいに。練乳をかけて、さくらんぼを添えて。

秋のおやつ

焼きいもを作ろう

秋はホクホクとした食感と甘さが魅力の焼きいもを作ろう！
電子レンジとオーブンの合わせ技で、お店みたいにおどろくほどおいしくなるよ。

用意するもの

- ラップ
- 竹串
- オーブン用シート

材料(4本分)

- さつまいも（太さ3～5㎝・200～300gのもの）…4本

取材協力／林 一也（東京家政学院大学人間栄養学部人間栄養学科教授）　料理・スタイリング／八木佳奈　撮影／高杉 純

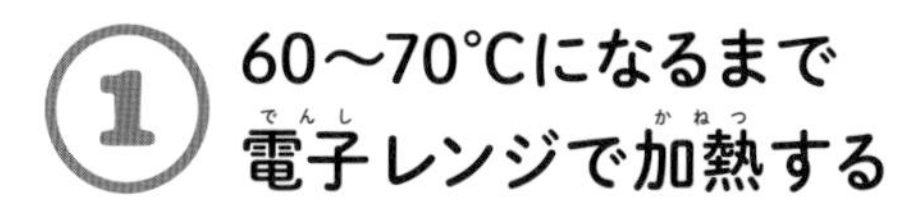

① 60〜70℃になるまで電子レンジで加熱する

さつまいもは水で洗い、かるく水けをきる。1本ずつふんわりとラップで包み、電子レンジで3分加熱する。竹串を刺してみて、ぐっと力を入れて中心までやっと刺されば、中が60〜70℃になっている証拠。竹串が刺さらないときは、様子をみながら10秒ずつ追加で加熱する(太さ5㎝以上のいも4本の場合は、4分を目安にして)。

② オーブンで焼いたらでき上がり

オーブンを200℃に予熱する。その間にいものラップをはずし、オーブン用シートを敷いたオーブンの天板に並べる。予熱が完了したら、200℃のオーブンで40分じっくりと焼き上げる。何本焼く場合でもオーブンの加熱時間は同じでOK。

焼きいものおいしいヒミツ

お店で売っているような、甘〜い焼きいもを作るためには、さつまいもの焼き方と選び方が大切だよ。

Q どうして電子レンジで温めてからオーブンで焼くと甘くなるの？

A さつまいもを加熱すると「アミラーゼ」という酵素が働いてでんぷんが糖になるからだよ

さつまいもには「アミラーゼ」という酵素が含まれていて、この酵素が働くと、さつまいものでんぷんが甘い麦芽糖に変わるんだ。この酵素が活発に働くのが、60〜70℃の温度帯。だからまずは電子レンジを使って、身の温度を一気に60〜70℃まで上げるんだよ。さらにオーブンで皮を焼くと60〜70℃を保ったまま蒸し焼きになるから、甘さがアップするんだね。

ひとくちメモ

太さが均一なさつまいもが焼きいも向き！

焼きいもで失敗しにくいのは、直径3〜5cmで、太さが均一なさつまいも。太さがまちまちだと、焼きかげんにむらができやすくなるよ。5cm以上の太いものは、電子レンジの加熱時間を様子をみながら10秒ずつ追加して、調整してね。

△ う〜ん……

◎ OK!

アレンジしても楽しい!

① +アイスクリーム

焼きいもを縦半分に割ったら、バニラや抹茶など、好きなアイスクリームを割れ目にのせよう。アイスクリームと焼きいもをいっしょにスプーンですくって食べるとおいしいよ!

② +甘辛じょうゆ

耐熱の小皿に砂糖大さじ1と、しょうゆ、はちみつ※、水各大さじ1/2を入れて混ぜる。ラップをせずに電子レンジで1分20秒加熱し、取り出してよく混ぜれば、大学いも風の甘辛味に。P88の焼きいも1本は皮をむいて縦半分に切り、一口大にちぎる。甘辛じょうゆをかけて、黒いりごまをふってね。

※ボツリヌス症予防のため、1歳未満の乳児に与えることは避けてください。

③ +レーズンバター

小皿にレーズン20gと室温にもどしたバター30gを混ぜる。P88の焼きいも1本は幅1㎝の斜め切りにし、ペーパータオルを敷いた耐熱皿に並べる。ラップをせずに電子レンジで1分30秒加熱し、裏返して1分加熱する。網にのせて水分をとばしてさましたら、レーズンバターをつけて食べてね。

冬のおやつ

バターもちを作ろう

秋田県のご当地おやつで、バターと卵のこくのある風味が特徴の「バターもち」。冬に出番の多いお餅のアレンジメニューとして作ってみよう。市販の切り餅で簡単に作れるよ！

用意するもの

- 口径約20㎝の耐熱のボール
- ラップ
- ゴムべら
- 包丁、まな板

材料（作りやすい分量）

- 切り餅…3個
- 卵黄…1個分
- バター…40g
- 砂糖…大さじ3～4
- 塩…少々
- 片栗粉…大さじ1と1/2
- 打ち粉用の片栗粉…適宜

料理／鈴木 薫　撮影／三村健二　スタイリング／本郷由紀子

① 餅を蒸して 砂糖、塩、卵黄を加える

口径約20㎝の耐熱のボールに餅を並べ入れ、水大さじ3を回しかける。ボールの両端を開けるようにふんわりとラップをかけ、電子レンジで2分ほど加熱する。餅の上下を返し、再び同様にラップをかけ、電子レンジで1分～1分30秒加熱する。水けをきり（やけどに注意）、砂糖、塩、卵黄を加える。

② よく練り混ぜ、バターを加えてさらに練る

ゴムべらで餅のかたまりをつぶしてなじませながら、手早く練り混ぜる。全体が均一になったらバターを加え、バターを溶かしながらよく練り混ぜる。

③ 片栗粉を混ぜて、生地をまとめる

バターが完全に溶けたら片栗粉を加え、餅に練り込むようによく混ぜる。全体がまとまり、粉っぽさがなくなるのが混ぜ終わりの目安。

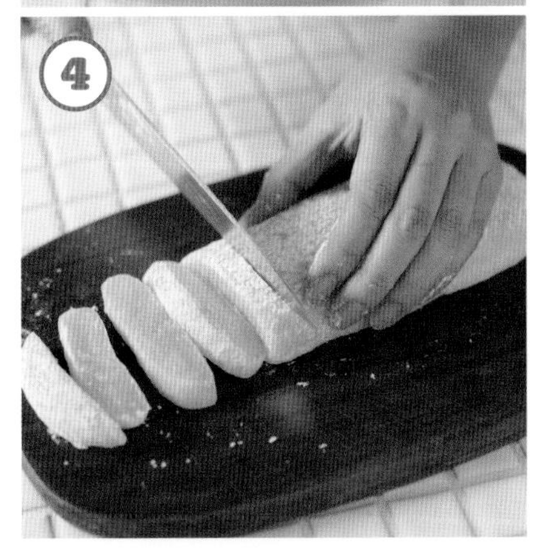

④ 形を整えて さましたらでき上がり

打ち粉をしたまな板に生地を取り出し、打ち粉をふりながら、厚さ2.5㎝、幅6㎝くらいの長方形に整える。ラップで包み、そのままさめるまで30分ほどおく（生地がしまって切りやすくなる）。食べやすい大きさに切る。空気に触れないようにしっかりとラップで包み、冷蔵庫に入れて1週間ほど保存可能。

バターもちのおいしいヒミツ

やさしい甘さがくせになる、バターもち。どうして時間がたっても堅くなりにくいのかな？　作りながら調べてみよう。

Q　なんで時間がたっても堅くなりにくいの？

A　砂糖とバターがお餅の水分を長時間保ってくれるからだよ

バターもちが長時間たっても柔らかいままなのは、作るときに加えた砂糖とバターのおかげなんだ。通常、お餅の成分であるデンプンは、時間がたつとともに水分を失って堅くなってしまうけれど、お餅に練り込んだ砂糖が、お餅の中の水分を抱え込んでくれるから、長い時間柔らかい状態を保てるんだよ。ちなみにバターも砂糖と同じ働きをしているよ。

ビヨ〜〜ン

水分

ひとくちメモ

バターもちは焼くともっと柔らかくおいしくなる！

食べる前にオーブントースターで1〜2分焼くと、外はサクッと、中はのびるほどの柔らかさを楽しめるよ。焼くときは、オーブントースターの天板にお餅がくっつかないようにアルミホイルを敷いてね。

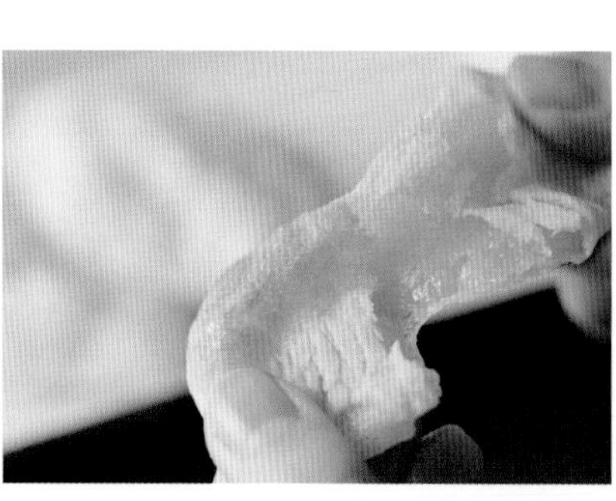

アレンジしても楽しい！

① ＋バター＆シナモン

フライパンにバターを溶かし、幅1㎝に切ったバターもちの両面をこんがりと焼こう。仕上げにシナモンパウダーをふれば、洋風おやつの完成！　P92のバターもち1/4量に対して、バター小さじ1が目安。

② ＋のり＆チーズ

のり＆チーズの名コンビと合わせて！　大きめの四角形に切ったバターもちをオーブントースターでこんがりと焼いて、チーズをのせてのりではさもう。P92のバターもち1/2量に対して、焼きのり（全形）1/4枚、スライスチーズ1/2枚が目安。

③ ＋くるみ＆黒みつ

三角形に切ったバターもちに、とろ〜り濃厚な黒みつと、刻んだくるみをトッピング。P92のバターもち1/4量に対して、黒みつ大さじ1、くるみ（ロースト）20gが目安。

四角形や三角形にするには

バターもちの生地を混ぜたあと、16×13㎝くらいのバットに打ち粉をし、平らに広げて。完全にさめたら取り出して、包丁で四角形や三角形に切ろう。

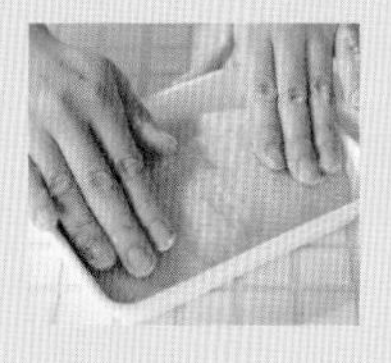

自由研究におすすめ！

魚介をさばいてみよう

解剖実験気分でチャレンジ！
いかはキッチンばさみ、いわしは包丁を使ってさばいていくよ。
むずかしいところは大人に手伝ってもらってね。
さばいたら、料理しておいしく食べよう！

いかのさばき方

材料

- いか

用意するもの

- キッチンばさみ
- まな板
- ペーパータオル

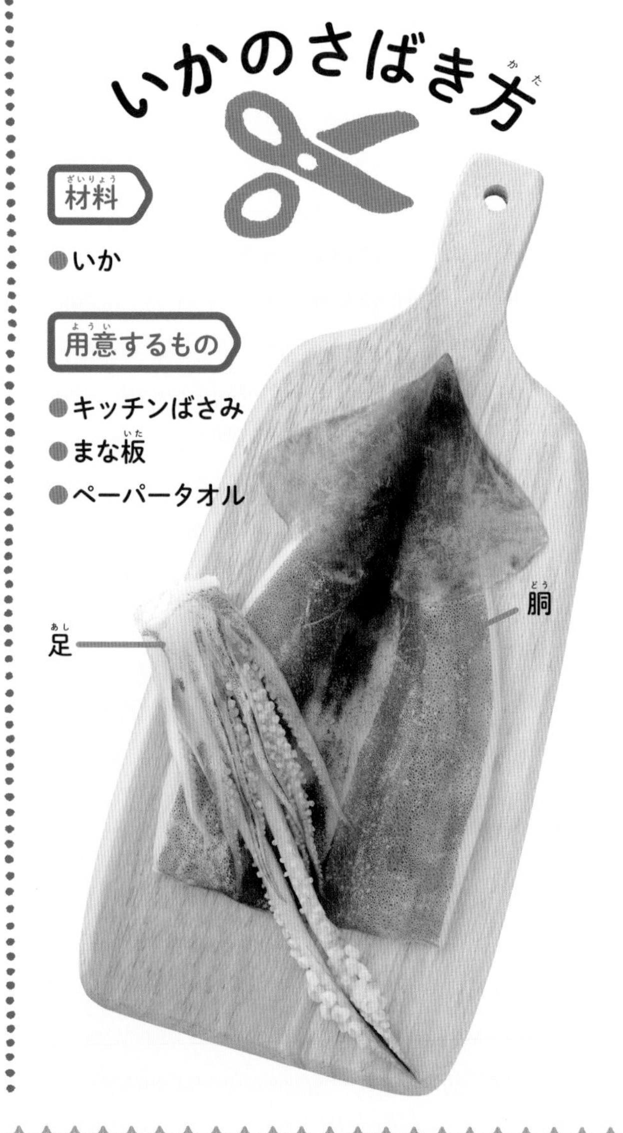

作り方

1 キッチンばさみで胴を切り開く

まな板の上にいかを、目のついている面が下になるように置く。胴の中央にキッチンばさみを入れ、先端の細い部分までまっすぐ切り開く。

解説！

わた（内臓）をいっしょに切ってしまわないように、胴を手で持ち上げながら少しずつ切ろう。

2 胴からわたを切り離す

わたのすぐ下を手で持ってひっぱり上げ、胴からはがす。

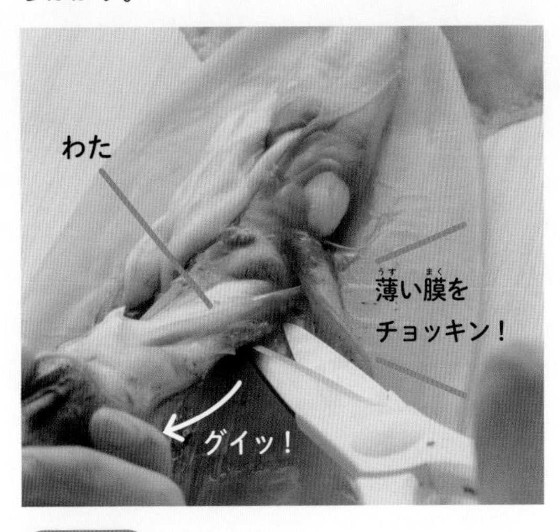

解説！

わたと胴の間に薄い膜があるよ。この薄い膜をキッチンばさみで切りながらはがそう。

3 胴から軟骨をはがす

開いた胴の中心の軟骨の端を持ち、ゆっくりと胴からはがす。胴に残ったわたを流水で洗い流し、ペーパータオルでしっかりと水けを拭き取る。

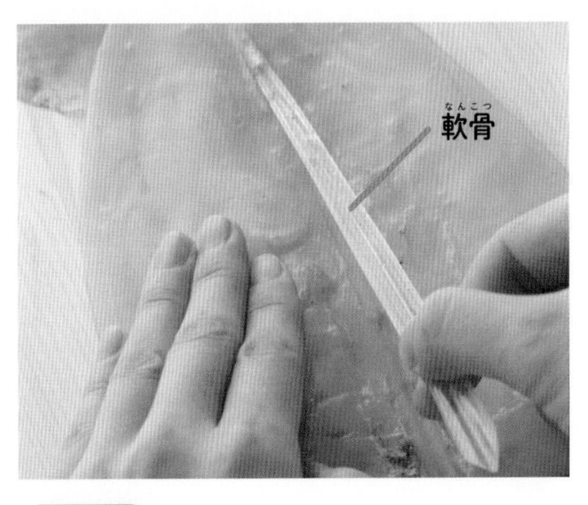

解説！

軟骨と胴の間に人さし指を差し込み、軟骨を少しずつ上下に動かしてくっついている部分を手前から向こうにはがそう。

4 目の下で足を切り離す

2で切り離したわたの部分をまな板に置き、目の下にキッチンばさみを入れてぐるりと一周切り、足をわたから切り離す。続けて足のつけ根を両手で持って、ひっくり返し、中央の丸く堅い部分（くちばし）を切る。最後に足の先を指でしごき、堅い吸盤を取り除く。

解説！

吸盤は指で簡単に取れるよ。

5 皮をむく

皮をむくときは、いかの胴の皮目を上にしてまな板に置き、胴の切り口の皮がめくれかけているところを指でつまんでゆっくり引きはがす。

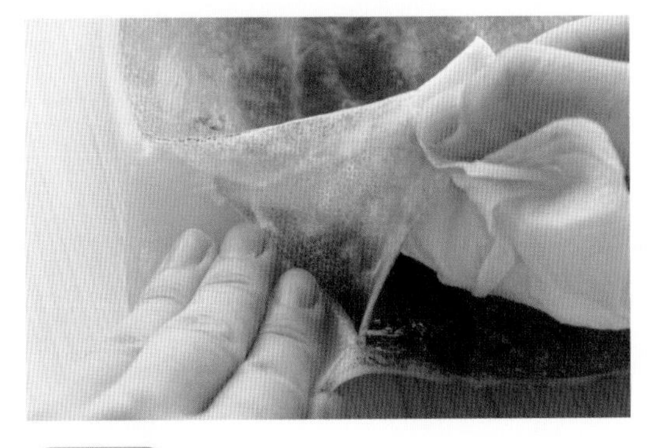

解説！

胴は皮つきのままでも食べられるけど、むくと口当たりがよくなるよ。ぬらしたペーパータオルで皮をつまむのが上手にむくコツ！

さばいたいかで料理しよう

いかとにらのチヂミ

材料（2人分）

- するめいか…1ぱい
- にら…1/3束（約30g）
- 卵…2個
- 鶏ガラスープの素（顆粒）…小さじ1
- 豆板醤…小さじ1
- しょうゆ　酢　小麦粉　ごま油

下準備

- 小さい器に豆板醤としょうゆ大さじ2、酢大さじ1を混ぜてたれを作る。

作り方

1 いかはP108～109の「いかのさばき方」の4までを参照してさばき（皮はむかない）、胴の部分を縦半分に切り、さらに幅7～8㎜に切る。足は1本ずつに切り分け、長さ2㎝に切る。にらは根元を1㎝ほど切ってから、長さ2㎝に切る。

2 ボールに卵を割りほぐし、鶏ガラスープの素と小麦粉1/2カップを加え、粉っぽさがなくなるまで菜箸で混ぜる。いかとにらを加え、まんべんなく混ぜ合わせる。

3 フライパンにごま油大さじ2を中火で熱し、2を入れて全体に広げる。こんがりと焼き色がつくまで4～5分焼き、フライ返し2本を使って上下を返し、さらに4分ほど焼く。まな板に取り出し、包丁で食べやすく切って器に盛り、たれをかける。

バターしょうゆ焼き

材料（2人分）

- するめいか…1ぱい
- 万能ねぎの小口切り…3～4本分
- 小麦粉　バター　しょうゆ

作り方

1 いかはP108～109の「いかのさばき方」の4までを参照してさばき（皮はむかない）、包丁で胴の皮目の部分に斜めに浅く、5㎜間隔で切り目を入れる。さらに裏側にも、皮目とは逆の方向に同様に切り目を入れる。足は2本ずつに切り分けて、長いものは半分に切る。

2 胴の皮目全体に小麦粉小さじ1をふり、余分な粉ははたき落とす。フライパンにバター小さじ2を入れて中火にかけ、バターが溶けたらいかを胴の皮目を下にして加える。フライパンのあいたところに足を入れ、胴をフライ返しで押さえながら1分30秒ほど焼きつける。ともに上下を返し、さらに1分ほど焼いて火を止める。胴をまな板に取り出し、横に幅1.5㎝に切って、足とともに器に盛る。

3 同じフライパンにバター、しょうゆ各小さじ2を入れ、弱火にかける。バターが溶けたらひと混ぜしていかにかけ、万能ねぎをのせる。

さばいたいわしで料理しよう

いわしのソース風味照り焼き

材料（2人分）

- いわし（中）
  …4尾（約600g）
- しし唐辛子
  …10～12本
- たれ
  ウスターソース、酒…各大さじ1
  砂糖、しょうゆ…各小さじ1
- 貝割れ菜…適宜
- 小麦粉　サラダ油
  練り辛子

下準備

- たれの材料を混ぜる。

作り方

1 いわしは右の「いわしのさばき方」を参照して開き、尾を切って縦半分に切る。茶こしを通して両面に小麦粉を薄くまぶす。しし唐辛子はへたを切り落とし、縦に浅く1本切り込みを入れる。貝割れ菜は根元を切り、長さを半分に切る。

2 フライパンにサラダ油大さじ1/2を入れて中火で熱し、**1**のしし唐辛子を2分ほど炒めて取り出す。

3 同じフライパンにサラダ油大さじ1/2を加えて中火で熱し、いわしを皮を下にして並べて2～3分焼き、裏返して2分ほど焼く。たれを回し入れて強火にし、フライパンを揺すってからめ、つやが出たら火を止める。器に盛り、しし唐辛子、貝割れ菜、練り辛子適宜を添える。

いわしのさばき方

材料

- いわし

用意するもの

- まな板
- 包丁
- ペーパータオル

1 頭と内臓を取る

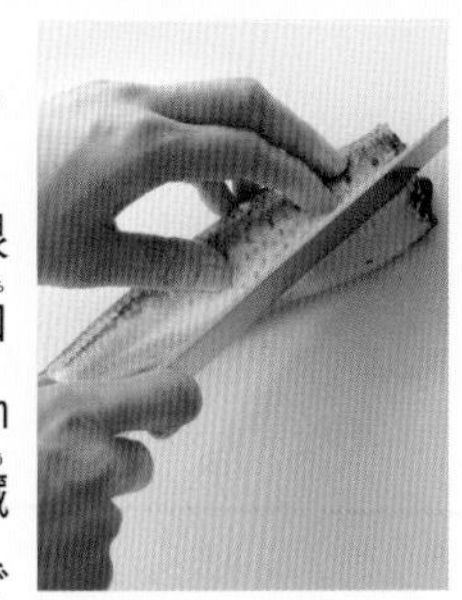

いわしは胸びれのつけ根から頭を落とし、切り口から腹の部分を6～7cm斜めに切り落とし、内臓をかき出す。腹の中までやさしく洗い、ペーパータオルで水けをしっかりと拭き取る。

解説！

内臓は包丁の刃先を使ってかき出そう。

2 指を入れて開く

腹の切り口に両手の親指を入れ、中骨にそって両側に開くように親指をすべらせて一枚に開く。

解説！

中心の太い骨が中骨だよ。中骨の上をなぞる感じで開いていこう。

3 中骨を取る

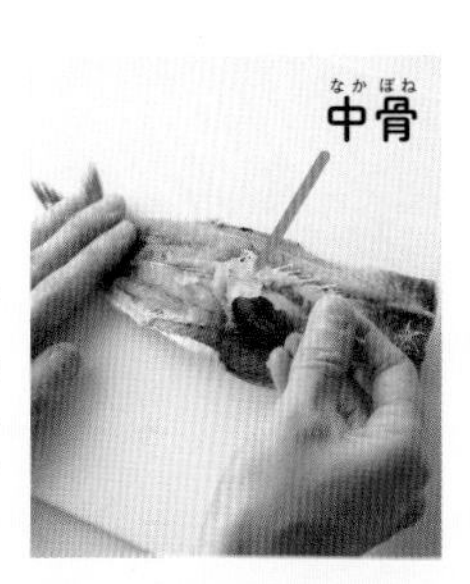

中骨を尾のつけ根で折り、身を押さえながら、尾から頭のほうに向かってゆっくりと骨をはがす。

（P111）料理／武蔵裕子　撮影／宗田育子　スタイリング／久保百合子

さらに研究

魚介の謎を解き明かそう

海で暮らす生き物は、種類や生態もさまざま。
身近な食材なのに知らないことが多い魚介について、もっと迫ってみよう！

魚介の見た目にはふしぎがいっぱい！

魚

魚はえらで呼吸をしているよ。海を泳いでいるのに魚の身が塩辛くならないのは、えらから体外に海水を排出しているからなんだ！

ちなみにさばやあじ、いわしなどの「青魚」と呼ばれる魚は、背中が青色でおなかが白色をしているよ。これは海の上から見たときに海の色と同化して目立たないようにし、天敵から身を守るためなんだよ。

頭足類（たこ、いかなど）

たこやいかなどは、足が多数に分かれているよ。たこは8本足、いかは10本足だね。たこの頭に見えるところはじつはおなかなんだよ。

貝

貝殻が巻いた形状の巻き貝と、2枚の貝殻が重なって閉じている二枚貝があるよ。

オスの足の吸盤は、大小さまざまな大きさなんだ。メスの吸盤は小さく、2列に整然と並んでいるよ。

甲殻類（かに、えびなど）

かにやえびなどは、天敵から身を守るために、堅い甲羅や殻などでおおわれているんだ。

魚の赤身と白身の違いは運動量の差！

スーパーで見かける魚には、身が赤い「赤身魚」と身が白い「白身魚」があるよね。この身の色の違いは魚の運動量の違いによるものなんだ。赤身の魚は海をつねに泳いでいる「回遊魚」と呼ばれる魚で、代表的なのがかつおやまぐろなど。これらは泳ぎつづけるためにたくさんの酸素を必要とするため、通称「筋肉色素たんぱく質」と呼ばれる、身の色を赤くする働きのあるたんぱく質を多く含んでいるんだ。一方、かれいやひらめなどの魚は、海の底でジッと身を潜めているから、「筋肉色素たんぱく質」が少なく、白いんだよ。

えびやかにをゆでると赤くなる理由は熱いからじゃない！

海で生きているえびやかには茶色っぽい色をしているのに、なぜゆでると赤くなるんだろう。熱くて真っ赤になっちゃったのかと思うかもしれないけれど、じつはこれはえびやかにが持っている「アスタキサンチン」という赤い色素によるものなんだ。「アスタキサンチン」は、鮭の身のオレンジ色のもとでもある色素。生きている間は身のたんぱく質と結びついていて、灰色や青色の色素のもとである「カロテノプロテイン」という物質となっているから赤色には見えないんだ。ところがゆでるとたんぱく質が死んでしまい「アスタキサンチン」は離れて空気中の酸素と結びつき、真っ赤な色素に変わるんだよ。

監修　藤本勇二（武庫川女子大学教育学部教育学科教授）

料理　相場正一郎／飯塚有紀子／市瀬悦子／今泉久美／小田真規子／落合貴子／梶 晶子／下迫綾美／鈴木 薫／スタジオナッツ／タカコ ナカムラ／髙山かづえ／つむぎや〈金子健一、マツーラユタカ〉／浜田恵子／福田淳子／武蔵裕子／八木佳奈

撮影　飯貝拓司／岡本真直／川浦堅至／キッチンミノル／木村 拓（東京料理写真）／澤木央子／鈴木泰介／宗田育子／sono（bean）／髙杉 純／対馬一次／寺澤太郎／豊田朋子／中本浩平／福尾美雪／松本祥孝／三村健二／よねくら りょう

スタイリング　阿部まゆこ／井口美穂／久保田朋子／久保百合子／しのざき たかこ／新田亜素美／浜田恵子／深川あさり／朴 玲愛／細井美波／本郷由紀子／ミヤマ カオリ／八木佳奈

取材協力　尾嶋好美（筑波大学GFESTコーディネータ）／永田あおい（FK style by Big mama）／林 一也（東京家政学院大学人間栄養学部人間栄養学科教授）／原口るみ（ガリレオ工房）／箕輪直子（染織家）

AD、デザイン　エムティ クリエイティブ（山本 陽／菅井佳奈）
デザイン　ウエイド（土屋裕子）
イラスト　てぶくろ星人

編集担当　清水祥子／渡辺 薫

編集協力　ロビタ社（後藤加奈／三好史夏）
撮影協力　八鍬志保／西川節子

改訂版

こどもオレンジページ
ORANGE PAGE

本書は2021年刊行の『食べ物の「なぜ」を探ろう！ キッチン実験室』（小社）の内容を一部改訂し、書籍化したものです。

キッチン実験室の実験ネタは「こどもオレンジページnet」でも公開中！

2024年7月19日　第1刷発行

発行人／鈴木善行
発行所／株式会社オレンジページ
〒108-8357　東京都港区三田1-4-28 三田国際ビル
☎03-3456-6672（ご意見ダイヤル）
☎03-3456-6676（販売 書店専用ダイヤル）
☎0120-580799（販売 読者注文ダイヤル）
印刷所／図書印刷株式会社